自由の奪還

全体主義、非科学の暴走を止められるか

アンデシュ・ハンセン他 著
Anders Hansen et al.

大野和基 インタビュー・編
Ohno Kazumoto

PHP新書

プロローグ――試される「自由」の価値

新型コロナウイルスは、政治指導者のリーダーシップの欠如を容赦なく露呈させたが、それは民主主義国家の話である。民主主義はレジリエンス（復元力）を有しているが、その裏にはかなりの脆弱性が潜んでいることは、世界を大混乱に陥れた今回のパンデミック（世界的大流行）で図らずも証明されてしまったようだ。

たしかに、先進国ではコロナ禍の中で、多くのコア・アクティビティ（中心的活動）がデジタル空間に移された結果、人との接触が減り、感染の拡大防止に役立った面はある。その一方で、デジタル技術による感染者の行動履歴の追跡は、「自由」の侵害ではないかとして、広範な論争が巻き起こったことは記憶に新しい。

ワクチン開発を一年もかからずに成し遂げた先進国があったのは、民主主義の強みであるレジリエンスが発揮されたともいえるが、中国やロシアも同じようにワクチンの開発には成功している。むしろ感染拡大の阻止という点に絞れば、中国に代表されるように、全体主義的な国家統制が可能である国が有利であるようだ（この現実は容易には認めがたいが）。

当初、日本は世界でも例を見ない「自粛」によって、感染を封じ込めたという評価もあったが、いまになってみると、それは遠い昔のことのように思える。ワクチンの接種において、日本の進捗の遅れは信じられないほどで、やはり政治のあり方にどこか欠陥があるというほかないのではないか。

このパンデミックは改めて政治、あるいは社会における「リーダーシップとは何か」という問いを世界全体に投げかけたことは間違いなかろう。

慎重な議論、多様な意見こそ「民主」の前提

新型コロナウイルスは純粋な公衆衛生イシューであるべきだが、どの国でも政治問題化された。民主党のジョー・バイデン米大統領は、科学に基づいた政策を採ると表向きには言いながら、感染症対策では共和党と政治的な泥仕合を演じてきた。ワクチン接種では、州によって接種率の違いが出ているようだが、その背景には政治的立場が影響しているという指摘もある。頑固なまでの反ワクチン派に見られるように、コロナ禍によってアメリカ社会の亀裂はよりいっそう深まった。

一方で、全体主義国の中国はデジタル監視技術を駆使し、早期にコロナを収束させた。中国が香港の自由と言論を仮借(かしゃく)なく弾圧していることは周知の事実だが、この強権的なやり方が欧米との対立を深化させている。

もちろん、問題は中国だけにあるのではない。コロナ禍によって、世界はそれまでの国際的な連携を失い、急速に自国第一主義の方向に舵を切った。欧米の民主主義国家の足並みも決して揃っているわけではなく、中国の覇権拡大は今後も続くであろう。アメリカはアメリカで、自国のやり方を他国に押し付けるという傲慢さを反省して改悛(かいしゅん)するところがなく、それどころか、バイデンが大統領になってから、それが増している印象すら覚える。

パンデミックのような重大な危機が生じたときの対応は、中国のように強権的なかたちで国民を統制して解決を図るのか、一時的にロックダウンのような措置を講じつつ、自由の制限には一定の条件を設けて民主的に対応するかの二者択一である。

ところが、すでにコロナ禍の前から、世界中で広がりつつあったポピュリズムのうねりが、後者のような、時間はかかるが民主的な対応を採ることを困難にしているように思える。「民主」の前提には、慎重な議論、多様な意見という前提があるはずだが、ポピュリストが煽るのは人びとの不満と対立であり、社会の分断が進めば、「自由」な言論に基づく民主社会の基盤が危ういものになる（ジャーナリストという仕事を生業とする私にとって、それは生存の危機でもある）。

まさしく今回のパンデミックは、デジタル経済の発展と絡むかたちで、世界各国で格差拡大を著しく助長している。それはリモートワークが可能な職種と、そうでない職種のあいだとの格差と言っても過言ではない。リモートでできない職種とは、対面での仕事がメインとなる職種であるとも言えるわけだが、今回のパンデミックではそれだけ危機にさらされていることになる。医師や看護師などはその典型であろう。

一方、デジタル化が短期間で加速すると、その恩恵を受けやすい職種、そうでない職種にかかわらず、社会全体として人との交流が希薄になり、それがもたらす「個」の孤立が新たな不安を引き起こす。我々はＳＮＳでいくらつながっていても、それだけでは信頼感のある社会を築くのは難しい生き物であることを認めなくてはならない。ツイッターやフェイスブックを見れば、怪しげな陰謀論で溢れているのがその何よりの証左である。

私が本書でインタビューした先覚者たちの出身国も実に多種多様である。

アンデシュ・ハンセン氏はスウェーデン人で、ロルフ・ドベリ氏はスイス人。ジャック・アタリ氏とダニエル・コーエン氏はフランス人で、スティーヴン・マーフィ重松氏は日本人とアメリカ人のハーフだ。ターリ・シャーロット氏はもともとイスラエル人だが、いまはアメリカ国籍を取得し、二重国籍である。ダグラス・マレー氏はイギリス人で、ネイサン・シュナイダー氏とサミュエル・ウーリー氏はアメリカ人という多様さだ。

ここで簡潔に本書の内容を紹介しよう。

世界的ベストセラー『スマホ脳』（新潮新書）の著者であるアンデシュ・ハンセン氏は、スマホなどデジタルツールの使いすぎによる有害な面に警鐘を鳴らし、心身を健康に保つ方法やコロナ禍で世界中の人が抱いている孤独感を緩和する方法を指南してくれる。

よりよい人生を送るための思考法を説いた『Think clearly』（サンマーク出版）の著者であるロルフ・ドベリ氏は、パンデミックで最も問われたリーダーシップの本質や、コロナ禍という災いに冷静に対処し、失敗から学び、「能力の輪」を確立することが人生においていかに重要かを説いている。

『２０３０年　ジャック・アタリの未来予測』『命の経済』（いずれもプレジデント社）などの

著書があるジャック・アタリ氏は、将来起こりそうな脅威を予見する能力が傑出しているが、現状を大局的に分析し、いま取り組むべきことも直言する。

　ジャーナリストのネイサン・シュナイダー氏は、「協同組合」という人口に膾炙（かいしゃ）したモデルについて、その本質を説明すると同時に、それがポスト資本主義のモデルとして無限の可能性を秘めていることをその歴史から説いている。

　経済学者のダニエル・コーエン氏は、現在の世界にもたらされた格差の元凶をレーガン大統領やサッチャー首相が誕生した八〇年代に見る。そこからブレグジット（イギリスのＥＵ離脱）の誕生を見事に説明している。そして、マクロン大統領が誕生した背景を説く。近著『ホモ・デジタリスの時代』（白水社）でも述べているアメリカのＧＡＦＡ（グーグル、アップル、フェイスブック、アマゾン）や中国のＢＡＴＨ（バイドゥ、アリババ、テンセント、ファーウェイ）の台頭についての所論もわかりやすい。

　ジャーナリストのダグラス・マレー氏は、世界二〇カ国以上で翻訳された『ヨーロッパの奇妙な死』（邦訳タイトル『西洋の自死』東洋経済新報社）というルポの著者であるが、日本人には最もわかりにくい移民問題の背景の複雑さを説明してくれる。ブレグジットについても、マレー氏の説明で読者も腑に落ちるのではないだろうか。日本は移民を受け入れていないとされ、諸外国から非難されているが、私もマレー氏の話を聞くまでは、どちらかというと、日本を非難するほうであった。氏の明解かつ丁寧な説明を聞いて、目から鱗が落ちたというか、この問題の複雑さを改めて知った思いがある。

陰謀論はますます勢いをつけているが、サミュエル・ウーリー氏はその背景を詳説している。頭がいい人でも陰謀論に惹かれ、我を忘れて拡散しているというから始末に悪いが、陰謀論にはまらないようにするためには、批判的思考が重要であると言明する。

認知神経科学者であるターリ・シャーロット氏は、人の心を動かす方法を伝授しているが、その秘訣を知ると、頑固一徹の人の考えも一瞬で変えることができるかもしれない。

スティーヴン・マーフィ重松氏はいかなる困難に直面しても、生きる意味を喪失することなく、感謝の人生を送れるように実践できることを具体的に教示してくれる。

本書に登場する九人の碩学（せきがく）との対話を通して、できるだけ最先端の知見を読者に提供できるようにしたつもりだが、そこには我々が未来への希望や目的を失わないようにするための答えがあると信じたい。そして日々のニュースに振り回されず、深く沈潜することの重要性に気づいていただければ、それにまさる喜びはない。

大野和基

自由の奪還　全体主義、非科学の暴走を止められるか

目次

Chapter 1 アンデシュ・ハンセン デジタルツールが蝕む心身

Rolf Dobelli

Chapter 2

ロルフ・ドベリ
ワクチンの普及で世界は団結せよ

Chapter 3

ジャック・アタリ 国民の命を守る経済へ

Nathan Schneider

Chapter 4

ネイサン・シュナイダー
地域の雇用を守る協同組合のあり方

Daniel Cohen

Chapter 5

ダニエル・コーエン
経済的な地盤を失った人たちの怒り

Douglas Murray

Chapter 6

ダグラス・マレー
移民は有史以来、最大の複雑な問題

Samuel Woolley

Chapter 7

サミュエル・ウーリー
無秩序な陰謀論がなぜ拡散されるのか

Chapter 8

ターリ・シャーロット
ポピュリストは人びとにコントロール感を与える

Stephen Murphy-Shigematsu

Chapter 9

スティーヴン・マーフィ重松
困難を乗り越えるハートフルネスの力

英文校正・協力：大井美紗子

Chapter 1

デジタルツールが蝕む心身

人類はソーシャルメディアの商品として扱われるようになった

スマホをいじりながら信号を渡っている人をみるたびに、『スマホ脳』の著者、アンデシュ・ハンセン氏の「実に多くの企業が我々の弱さにつけ込み、莫大な利益を上げている」という言葉を思い出す。多くの人はスマホが心身にもたらす負の影響に気づいていないのではないか。依存症とはそういうものである。

とはいえ、ハンセン氏はデジタルツールを使うな、と言っているのではない。それが思考回路にまで負の影響を及ぼしていることを認識したうえで、効果的な付き合い方をするように説いている。氏の提言は、デジタルライフに慣れ切った我々には〝耳の痛い話〟かもしれないが、人生にプラスの影響を与えてくれよう。

Anders Hansen

アンデシュ・ハンセン

精神科医

Photo: Stefan Tell

カロリンスカ医科大学を卒業後、ストックホルム商科大学にて経営学修士（MBA）を取得。現在はストックホルムのソフィアヘメット病院に勤務しながら執筆活動を行なう。著書（邦訳）に『一流の頭脳』（サンマーク出版）、『スマホ脳』（新潮新書）など。

人類史からみたデジタルライフの位置づけ

――あなたの著書〝Insta-Brain〟の邦訳『スマホ脳』（新潮新書）は、世界的な社会問題であるスマホ中毒の構造と処方箋を説き、ベストセラーになっています。スティーブ・ジョブズやビル・ゲイツは、デジタルツールが脳に有害な影響を与えることを認識しており、自分の子どもに対してその使用を制限していたといいます。あなたがスマホの負の側面について認識したのはいつごろからですか？

ハンセン　ここ五年ほどです。といっても、初めから負の側面を認識していたわけではありません。私はもともと人間の行動や認識、また人類史に強い関心をもっていました。そして五年前の二〇一六年ごろにふと気づいたのです。ここ十年の世の中は、人類史において最も速いスピードで変化しているのではないか、と。我々の行動がここまで変わったことは、この十年間を除いて他にありません。その理由を何とかして理解したいと思いました。

――現代の病理について考える背景には、より深い人類史的視点があったわけですね。

ハンセン　現在の人類にとって、自動車やコンピュータを活用し、食べ物が安価な値段で手に入り、国境を越えてどこへでも旅行できる世界はごく当たり前のものです。しかし我々がこのような生活様式で生きているのは、人類の歴史からいうと、ごくわずかな期間にすぎません。現在の環境は、人類にとって当たり前どころか、きわめて特異な状態なのです。たとえそのようには感じられないとしても。

人類は自らの肉体と脳を狩猟採集民としてサバンナの生活に適応させましたが、その後一〜二万年のあいだに肉体と脳に生物学的な変化が起きたかというと、何も起きていない。すなわちそれは、我々がいまだに狩猟採集民であることを意味しています。人間の生理機能や心理機能を理解するためには、我々が人類史上、生物学的には変化していない前提をまず押さえる必要があります。

その問題意識が、『スマホ脳』の執筆に至る出発点でした。そして、なぜデジタルライフは我々にとってこれほどまでに魅力的なのか、なぜ毎日三〜四時間（ティーンエイジャーは五〜六時間）もスマホやタブレットといったスクリーンの前で過ごすのか、スマホ中毒から逃れようと思ってもなかなかできない、その根幹にあるメカニズムは何か、などについて解き明かしたかった。私がこの本を書いた目的は、現段階で科学的にわかっている事実を読者に提供することです。私の本を読んで、最終的にどういう行動をとるかはその人次第です。

――デジタルツールという人類にとって画期的な発明が、我々に負の影響を及ぼしている側面は否(いな)めませんね。

ハンセン　実に多くの企業が我々の弱さにつけ込み、莫大(ばくだい)な利益を上げています。それらの企業は、いままで我々がみたことがない形に世界を作り変え、社会のインフラとして確立している。ひいては我々の思考回路や情報の受け取り方、生き方さえも変えています。たとえば、勘違いしている人が多いかもしれませんが、我々はフェイスブックの顧客ではありません。顧客だったら然るべき顧客サービスを得られるはずですが、そんなものはないでしょう。我々は顧客ではなく、フェイスブックの商品なのです。

現代社会最大の商品とは、何だと思いますか。お金ではありませんし、はたまた新型コロナウイルスのワクチンでもありません。それは、人間の関心です。我々人間の脳をハックして関心を集める力、これを各企業がまるで兵器のように行使している。こんな事態は、いまだかつて起こったことがありません。

もちろん、我々がデジタルライフに大いに助けられているのも事実です。そのプラスの側面はまず認識しなければなりません。そのうえで、デジタルライフから生じるマイナス面、副作用についても、真摯（しんし）な議論を行なうべきです。いまスマホが引き起こしている副作用はほんの幕開けにすぎず、我々の生活は高度なテクノロジーに今後さらに浸食されていくでしょう。テクノロジーに我々が適応するのではなく、テクノロジーのほうを我々に適応させるべきです。そして、テクノロジーのメリットとデメリットを慎重に議論すべきです。

スマホに依存する人は鬱になりやすい？

――精神科医として多くの患者を診察するなかで、デジタルライフの影響を感じる部分もあったのでしょうか。

ハンセン　そうですね。たとえば私が住むスウェーデンでは現在、睡眠障害を訴えるティーンエイジャーが二〇〇〇年頃の約八倍に増えています。睡眠薬の使用も急増している。それはなぜか。ある研究によれば、いまのティーンエイジャーの約三分の一は就寝する際、ベッドにスマホを置いていることが判明しました。寝室ではなく、まさに寝るベッドの上にです。

デジタルツールが我々の関心を引くためにどれほど精巧に開発されているかを知ると、それが睡眠にとって有害であることに気づきます。睡眠障害で助けを求めてくる人へは、スマホを寝室から追いやり、代わりに目覚まし時計を枕元に置くようアドバイスしています。実行した患者さんたちからは、思ったほど難しくなかったという声を毎日のように聞きます。

――スマホの使いすぎによる精神的な影響はどの程度あるのでしょうか。

ハンセン　多くの研究は、スマホに依存する人は鬱になる可能性が高まると示しています。ただしこれらの研究の問題は、すでに鬱や不安障害を抱える人を対象にしていることです。それでは、彼らが鬱になったのはスマホを使いすぎたからなのか、鬱になったからスマホをより頻繁に使うようになったのか、正確な因果関係がわからない。

現段階で確実に言えるのは、ティーンエイジャーの女子には因果関係があるようにみえることです。彼女たちがスマホやソーシャルメディアを使いすぎると、鬱や不安障害になるリスクが明らかに増しています。

ただ、こうした例を除くと、一般の人にとってデジタルライフが人間の精神に及ぼす最大の影響は、我々が心身ともに健全であるために必要な要素を奪うことです。不安や鬱に対して有益な運動や睡眠、人との交流といった基本的欲求は、デジタルライフの加速によって希薄化している。デジタルの影響によって我々は防御因子を失い、ますますデジタル媒体に対して中毒になりやすい心身と化しています。

——スマホ依存症になりやすいのは、「タイプA（短気でアクティブな人）」で、「タイプB（おっとりとした性格で落ち着いた人生観をもつ人）」はなりにくいと書かれています。なぜでしょうか。

ハンセン　一つの理由は、不安を感じやすい人はいささか集中力がない傾向にあるからです。ただし、これもやはり因果関係を証明するのは難しい。もともとの性格によってスマホを使うのか、スマホが性格に影響しているのかがわからないからです。

厳密に研究しようと思えば、大人数のグループが必要です。たとえば、二〇〇人のうち一〇〇人にスマホを使わせ、残りの一〇〇人にはまったく使わせない状態を長期間継続して観察する実験が考えられるでしょう。しかし、数カ月、数年とスマホを使えないとなれば、その実験への参加を希望する人はほとんどいないでしょうね。

電子より紙のほうが脳に定着する

――デジタルツールへの依存は、仕事や勉強の質にも関わってきますか。

ハンセン　もちろん影響します。その事実は、新聞を読む行為一つをとってもよくわかるでしょう。まったく同じ記事でも、紙の新聞で読むときと、デジタルスクリーンで読むときを比べると、前者のほうが内容をより深く理解できます。とくに難しい内容の本や記事を読む場合には、その差がよりはっきりと表れます。

それでもデジタルツールに慣れてしまえば、紙とスクリーンによる理解度の差は少なくなり、いずれ同じ程度になると思われるかもしれません。ところが、実際はその逆です。理解度の差は毎年調査するごとに広がっていく、つまり、紙で読むメリットが年々高まっていくということが、十年以上にわたる研究で示されています。なぜそういう結果が出るのかはわかっていませんが、時間が経過するほどスクリーンで浅く読むことに慣れてしまうからかもしれません。

——電子書籍よりも紙の本のほうが五感を刺激するのでしょうか。

ハンセン　そのとおりです。紙の本を読むのは触覚で感知する経験であり、長期的な記憶に結びつきます。空間記憶、三次元の記憶とも言い換えられる。より脳を刺激できるため、内容を覚えやすくなります。一方で、スクリーンでスクロールするだけだと、触覚で感知する経験を十分に得ることはできません。

——あなたは読書をする際、電子と紙をどのように使い分けていますか。

ハンセン　私は普段からたくさん本を読みますが、ホラー小説やSFといった気軽に読める小説は電子書籍を利用しています。一方、内容が複雑で難解な本は、たとえ持ち運びが億劫でも紙で読みます。

――メモを取る際も、ペンで紙に書いたほうが脳に定着しやすいのでしょうか。

ハンセン　そうです。思考力における紙の優位性は、読むことにも書くことにも当てはまります。事実関係を収集するために流し読みするときは、スクリーンのほうがむしろいいかもしれませんが、難しい内容の記事を読むときは、間違いなく紙のほうが脳に定着します。

――日本では教育におけるデジタル化の遅れをとり戻すために、デジタルツールの活用を進めています。これまでのあなたの話からすれば、たんに印刷物の使用を減らせばよいわけではなさそうですね。

ハンセン　世界はいまパンデミックの真っただ中で、教育もリモートにならざるをえない環境にありますね。ただ、学校での対面授業と、家からリモートで学ぶ場合の定着度が同じではないことは明らかです。デジタルツールを教室から一掃（いっそう）せよというわけではありません。でも、紙に書かれた文章とスクリーン上の文章が同じであるともいえない。パンデミックからある程度ノーマルな状態に戻ったとき、とくに内容が難しい授業の場合は、スクリーンではなく印刷物を配布して教えるべきです。

「いいね！」の表示時期は仕組まれている

——ソーシャルメディアの制作者は、デジタルツールが我々の心身に負の影響をもたらすことを認識しているのでしょうか。

ハンセン　いくつかのＩＴ企業は、人間の関心をハックできる構造に気づいています。どういう構造か。

まず、脳は褒美を求めますが、とくに「不確実な褒美」を得たときに喜びます。ある実験を紹介しましょう。ラットがいるケージ内で、特定の音を鳴らしたあとにフルーツジュースを出すようにします。するとその音を聞いたとき、ラットの脳にはドーパミンが分泌される。ドーパミンは感情にとって重要な神経伝達物質であり、集中する能力としても必要不可欠です。ラットが音を聞くと、「何かが起こる」と感じて集中し、ドーパミンの量が増すのです。

この場合の褒美はフルーツジュースですが、音が鳴ったあとに毎回ではなく、半分くらいの頻度で褒美を出すと、さらに多くのドーパミンが分泌されるようになります。

このように脳が不確実な褒美を好む理由はおそらく、自然界における褒美のほとんどは、確率論に基づいて与えられるからでしょう。自分が登った木の上にフルーツがあるかどうか、狩猟が成功するかどうかは、やってみるまでわかりませんよね。

――褒美が約束されているよりも、ときどき与えられるほうが、脳が刺激されるわけですね。

ハンセン　この性質は、フェイスブックやインスタグラムでも利用されています。たとえばあなたの投稿に対して友人が「いいね！」ボタンを押したとき、その瞬間に「いいね！」

が表示されるとは限りません。友人のクリックから少し時間を置いたのちに表示される場合があります。

つまり、あなたが再び確認しに戻ってきたくなるように、最適なタイミングが仕組まれているのです。これこそが、ソーシャルメディアで実際に使われている手法の一つです。ですから我々はソーシャルメディアの顧客というより、商品であるというのです。

では、こうしたデジタルプラットフォーマーはいかにして我々の脳をハックするに至ったのでしょうか。聡明だったから？　もちろんそれもありますし、彼らは行動科学者や神経科学者を登用してもいました。

しかし、もう一つ大きな要因は、彼らがつねに検証を繰り返すことができるからです。彼らは何十億という利用者を抱えていますから、その膨大なデータを基に「いいね！」や画像の投稿をどのように分散させたらいいか、どのように広告を表示させたらいいか、細かなパターンを見極めることができます。どうすれば利用者の関心を引けるのか、熟知しているのです。

心身の健康を保つには運動がいちばん

――本書では、ソーシャルメディアよりもリアルでの交流が多い人のほうが幸福度は高い、と書かれています。Covid-19（新型コロナウイルス）のパンデミックにより、リアルな対話の機会が減っていますが、この状況をどう捉えていますか。

ハンセン　いま世界中で多くの人が孤独感に苛まれています。孤独は人間にとって強いストレスを感じる状態であり、それが多くの不安や鬱の症状を引き起こしている。我々は、孤独状態で生き延びることはできません。人類には、集団で食糧を調達するなどして生き延びてきた歴史があるからです。かつては集団から外れる、つまり他者とのつながりを失うことは、食糧が手に入らなくなる危機を意味していました。

だから人間には、社会的な交流を求める欲望が強いのです。最初はたんなる生物学上の必要性だったものが、徐々に社会的な欲求へと変化してきたのでしょう。

——孤独による不安を解消する方法は何でしょうか。

ハンセン　孤独そのものを回避するのは非常に難しい。いまのところは、人との接触を避けざるをえないからです。家族や友人にいつもより頻繁に電話し、様子をうかがうことは重要です。孤独がもたらす負の影響を認識し、この難局を乗り越えましょう。

ほかの手法でも、不安を軽減することは可能です。最も明快な処方箋は、運動をすること。今年アメリカで発表された研究によると、パンデミックの期間で鬱病と不安障害に陥るアメリカの大学生が増えており、その最大の要因は運動不足であるといいます。一日の歩数が通常なら平均一万歩程度であるのに対し、パンデミック以降は平均四六〇〇歩まで減ったという。そして、その運動不足こそが不安や鬱を引き起こしている、と結論づけられています。

パンデミックは物理的かつ心理的な孤独をもたらすと同時に、運動不足も引き起こしている。我々は運動を継続して行なうべきです。

——どのような種類の運動でもよいのでしょうか。

ハンセン　本格的な競技やスポーツではありませんよ。スポーツは、どうしても人との競争になってしまいますから。いつもより長く、あるいは速く歩いたり、自転車で走ったりするだけでいい。軽い運動を歯磨きと同じように習慣化するのです。それだけですべての臓器の機能が向上します。恐らく最も良い影響を受ける臓器は脳でしょう。心身ともに健康な状態を保つために、運動はとても重要です。

人間の本性に沿う記事や動画をＡＩが決めている

――デジタルツールによる弊害があるとはいえ、一度手にした技術を手放すのは簡単ではないでしょう。この課題も、デジタル技術のさらなる進展により解決する可能性はありませんか。プラットフォーマーが力をもち、デジタル化へ邁進（まいしん）する人類はどこに向かうのでしょう。

ハンセン　それは非常に素晴らしい質問です。そもそも歴史は決定論的ではないし、はたまた戻ることもできない。どのような未来を摑むかは、間違いなく我々の手にかかっています。今後もデジタル化が進むのはどうしようもありません。デジタル化に振り回されるのではなく、うまく使いこなしていくために、多様な論点について大いに議論しなければならない。

いまや誰もが利用しているユーチューブでいえば、動画の総視聴時間の七〇%以上は、AI（人工知能）を駆使したレコメンドに誘発されたものだといいます。一度〝diet（ダイエット）〟とグーグルかユーチューブで検索すると、その後、食欲不振や拒食症の関連動画がおすすめとして出てくることがあります。これはグーグルとユーチューブ側に悪意があるわけではなく、その動画があなたの関心をそそるからにほかなりません。すべては関心を集めたもの勝ちなのです。

それらは多大な副作用も伴います。いま世界では、フェイクニュースや陰謀論が次々と拡散されていますね。我々の関心を引く最も簡単な方法が、恐れや怒りを誘発すること、そして人がすでに抱いている考えを肯定するような情報を与えることだからです。人間の本性に沿うように、我々にみせる記事や動画をAIが決めているのです。

——その意味では、デジタルツールへの依存に警鐘を鳴らした『スマホ脳』がベストセラーになっているのは良い兆候ですね。

ハンセン　そうですね。デジタルツールの危険性に気づいている人は、以前よりずっと増えていると思います。たとえばティーンエイジャーにデジタルツールについて尋ねると、最近の技術は進化しすぎている、制御が難しいと答えるのだそうです。このように多くの人が問題意識をもち、議論したいと思っている。ただ、議論するには情報が必要です。

この本の狙いは、まさにその情報を提供することにあります。こうした情報は、十年もすればさらに増えるでしょう。デジタルプラットフォーマーは人びとの脳をハックしていると先ほど申し上げましたが、フェイスブックの「いいね！」ボタンの開発者らはいま、自らの開発を後悔しているといいます。彼らはデジタルツールの思わぬ負の側面に気づき、おそらくはそれを変えたいと思っている。少なくとも、問題提起したいとは思っているでしょう。社会は後退するどころか、確実に前へと進んでいます。

Chapter 2

ワクチンの普及で世界は団結せよ

貧困国を除外すれば、その影響は先進国にも及ぶ

ＥＵに加盟していないスイスは、永世中立国としていかなる紛争にも参加しないという非常に賢明な立場をとっているが、ＥＵとも見事に適切な距離感を維持している。しかも「世界幸福度ランキング」でスイスは三位、日本は六二位というから、日本がスイスから学ぶことは多いはずである。とくに幸福度を測る重要な要素については知っておいたほうがいいだろう。

ロルフ・ドベリ氏はさらに「能力の輪」の重要性を説きながら、情報過多の時代に謙虚に生きる「針路」を示す。真のリーダーシップとは何かなど、このインタビューから多くのことを学んで、自分なりの人生の指標をもってほしい。

Rolf Dobelli

ロルフ・ドベリ

作家・実業家

1966年、スイス生まれ。スイス・ザンクトガレン大学卒業。スイス航空会社の子会社数社にて最高財務責任者、最高経営責任者を歴任後、ビジネス書籍の要約を提供する世界最大規模のオンライン・ライブラリー「getAbstract」を設立。著書（邦訳）に『なぜ、間違えたのか?』『Think clearly』『Think Smart』『Think right』（いずれもサンマーク出版）など。作家、パイロットでもある。スイス・ベルン在住。

スイスはなぜ危機に強いのか

――私は、あなたが住むスイスの首都ベルンを数回訪れたことがあります。北朝鮮の金（キム）正恩（ジョンウン）氏や金正哲（ジョンチョル）氏は、高校時代にベルンのインターナショナルスクールに通っていましたが、私はテレビ番組の企画で彼らの同窓生や教師に取材する機会がありました。

ドベリ　彼らがここベルンの学校に通っていたことは知っています。同窓生たちは何と言っていましたか？

――「北朝鮮を平和にしたい」と金正恩氏は語っていたそうです。また同氏はバスケットチームのリーダーで、試合に負けると敗因を分析し、一人でもよく練習していたといいます。

ドベリ　それは興味深い話ですね。

――では、本題に入ります。あなたは著書『Think clearly』（サンマーク出版）のなかで「世界は不透明である。まずは行動しなければならない」と述べています。我々はいまだ新型コロナによるパンデミックの真っただ中にいますが、まず何から始めるべきでしょうか。

ドベリ　私はパンデミックの専門家ではありませんが、世界的投資家であるウォーレン・バフェットの例を挙げましょう。彼は自分のデスクに、三つのトレイを置いていました。一つは「in（未処理）」、もう一つは「out（処理済み）」、そして「too hard pile（難解すぎる山）」の三つです。「難解すぎる山」とは、情報が少なすぎるなどの理由で投資すべきかの判断がすぐにつかず、時間が必要な案件をひとまず入れておくトレイのことです。

私にとって、このたびのパンデミックとそれをめぐる状況は、難解すぎてすぐには判断ができません。どういう行動をとるかをいますぐに決めるのではなく、「難解すぎる山」に入れてじっと我慢するべきときでしょう。パンデミックにおいて経済と公衆衛生のバランスをとるのは非常に難しい。自分が、すぐに決断を下さなければならない経営者や政治家でなくてよかったと思うくらいです。

私に一つだけ言えることがあるとすれば、ワクチンの有効性と安全性が確認されたら、すぐ接種せよということです。「接種率が五〇パーセントになるまで待つ」という人もたくさんいますが、すべての人がそんなふうに考えていたら、接種が進むのに何カ月もかかるでしょう。感染を抑え、なおかつ経済を回すためにも、できるだけ多くの人がワクチンを接種するべきです。

COVID-19（新型コロナウイルス）により、世界経済は大打撃を受けており、さらには人間の精神面や社会の根幹にも余波が及んでいる。多数の人がワクチンを接種して経済を動かしたうえで、それから何をすべきかを考えても遅くはないでしょう。

——スイスは新型コロナの「第一波」を欧州諸国のなかでは比較的抑えましたが、現在（二〇二〇年十二月上旬）は「第二波」が襲っています。現状をどう見ていますか。

ドベリ　スイスは「第一波」を乗り越えましたが、夏の間に気が緩(ゆる)んだせいか、いまになってその悪影響が露呈しています。初めに述べたとおり、私は専門家ではないのであくまで素人の視点からですが、政府は現在、経済と感染対策の中間の道を探っており、大方はうまくいっていると思います。感染者を受け入れる医療提供体制も崩壊していない。当面は現在の路線を続けるべきでしょう。

――スイスはこれまで二度の世界大戦やテロ、金融危機などの余波をほとんど受けてこなかったことから、世界的危機に強い国だといわれています。国民自身にもそうした自負心があるのでしょうか。

ドベリ　たしかに我々には、危機に対する抵抗力があるのかもしれません。ただそれはスイス自身の実力というよりは、偶然の産物です。スイスはここ数百年間、他国を攻撃したことがありません。国防の観点からすれば、ドイツがスイスを侵攻することは可能だったし、実際にヒトラーはそうした計画を立てていました。ところが第二次世界大戦の激戦地スターリングラード（現ボルゴグラード）で、ドイツのスイスに対する侵攻をソ連が阻んだ。この事実は我々にとって、僥倖（ぎょうこう）にほかなりませんでした。他国と比べてスイスが特別に危機に強いのではなく、たんにラッキーだったのです。

――当時の国際情勢に鑑(かんが)みれば、スイスが他国を攻撃しなかったことは、分別が求められる難しい選択だったように思います。

ドベリ　スイスは小さな国なので、大きな軍隊をもつ国に簡単に侵略されてしまいます。だから我々は自国の守りを固め、他国を攻撃しない方法をとったのです。

一方で、現在の日本は実に平和で、隅々まできちんと管理が行き届いた尊敬すべき市民社会ですが、第二次世界大戦の前と最中には拡張主義と自信過剰に陥っていたと思います。とくに私のような第三者には、アメリカと戦って勝とうとしていた点は理解しかねます。

政治指導者は国民が科学を信用するように説得を

――新型コロナ対応を巡る基金創設など、現在の欧州は団結する姿勢を見せています。スイスはEU（欧州連合）に加盟していませんが、他の欧州諸国と今後いかに関わっていくと考えていますか。

ドベリ　スイスはＥＵと良好な関係を堅持していますが、同機関への加盟を検討したことはありません。我々は、フランス、ドイツ、イタリアといったいかなる大国からも歴史的に独立してきました。

一方で、金融市場や流通の面では、ＥＵと多くの合意を結んでいます。ＥＵの良い面だけを〝選り好み〟しているともいえるでしょうか。イギリスはＥＵからの離脱を選択したので、我々と同じような合意をこれから何千と交渉しなければならない。それらすべてを結実させるには、二十年から三十年ほどはかかるでしょう。

スイスもそれくらい長い年数を要しましたが、結果的にいまは、ＥＵとの適切な距離感を保っています。ＥＵ側は、生産性の高いスイスを加盟させたいと考えているかもしれませんが、我々がＥＵに加盟することは今後もありません。

――パンデミックに直面し、指導者のリーダーシップにも注目が集まりました。あなたは企業のＣＥＯを務めた経験から、危機の際に政治指導者や経営者はどうあるべきだと考えますか。

ドベリ　各企業のＣＥＯたちは、パンデミックの状況下でも企業をリードすることができると思います。経営者というのは一朝一夕にその地位を得たわけではなく、たいていは小さなチームをリードすることから始まり、徐々に大きなチームを任されるようになりながら、競争を勝ち抜いてきた精鋭だからです。

しかし、政界のリーダーは違います。ですからいま必要なのは、国や世界レベルの政治的なリーダーシップです。たとえば、ワクチンの普及を巡って国同士が対立している場合ではなく、全世界が団結しなければならない。ウイルスにとって国境は関係ないため、もしもワクチン提供から貧困国を除外すれば、先進国にも影響が及びます。各国の政治指導者は、国民が科学を信用するように説得する必要がある。少なくとも今後半年間は、人びとを説得する力がいままで以上に求められます。

独裁主義的なアプローチは、決断を素早く下せるため短期的には有効ですが、長期的に見ると自由なアイデアや議論を抑圧してしまう。中国のような独裁主義国でもしも間違った決断を下せば、事が早く進む分、その悪影響は甚大（じんだい）です。民主主義国では、国民からすれば歯がゆい思いもあるかもしれない。それでも長期的に見ると、多くの人を社会に参加させ、リーダーに抗（あらが）うような議論が生まれることはプラスに働くはずです。私は、自由で開かれた社会が望ましいと切に信じています。

――アメリカやイギリスといった先進国でも、マスク着用に反対するデモが起きています。ワクチンが開発されても、接種を拒否する人もいます。各国の国内が分裂状態に陥るなかで、リーダーはどのように国民を説得するべきでしょうか。

ドベリ　リーダーシップとは、たんに命令に従わせるのではなく、説得する能力のことです。世界の指導者は、科学的なエビデンスを真摯に訴えなければなりません。それは今回のワクチン接種に限らず、禁煙や教育の推進などどんなことにもいえます。多くの国では指導者の説得が理にかなっているからこそ、国民は決して盲目的ではなく、自主的に従うのです。

それでも国民を説得できない場合は、当然、法律が必要です。たとえば、ワクチンの接種を証明できない場合は飲食店の利用や旅行ができないような「ワクチンパスポート」を義務化するのも一案でしょう。

自分の「能力の輪」を確立せよ

──日本には「災い転じて福となす」ということわざがあり、「コロナ禍を社会変革のきっかけにしよう」という議論も生まれています。しかし、あなたは『Think Smart』（サンマーク出版）のなかで「危機から無理にプラスの要素を見出さなくてもよい」と述べていますね。

ドベリ　ただやみくもに頑張るべきではありません。再びウォーレン・バフェットの例を挙げるならば、我々は「circle of competence（能力の輪：自分がよく理解できている得意な分野）」をもつべきです。能力が世界レベルであれば理想的ですが、そこまでいかなくても、自分の「能力の輪」の内側であればあなたの能力は平均より秀でているわけですから、成功する可能性は格段に高まります。いろいろな分野に手を出すのではなく、輪の規模が小さかろうが大きかろうが、とにかく一つの輪の中に留まるべきです。パンデミックではない常時でも、まったく同じことです。

よく「内なる声に耳を傾けよ」と言われますが、それだけでは駄目です。自分から出てくる声は、往々にして希望的観測を孕んでいるからです。まずあなたの過去十年、二十年の実績を見て、平均より優れている分野を探すべきです。それはあなたが楽しんできた分野である可能性が高いでしょう。でなければ、平均より秀でることなどできませんから。

得意分野を見つけたら、能力の向上に集中しなければなりません。パンデミックの真っ只中にある現在でも、できることはいくらでもあります。「能力の輪」を深めに深め、自分の専門性を高めましょう。

――同書ではさらに、「自分の失敗を受け入れて現実を視るべき」と説いています。しかし、自分の失敗を素直に認めるのは非常に難しいことです。私たちはどのようなステップを踏むべきでしょうか。

ドベリ　それはすばらしい質問です。まず言えるのは、我々が学ぶのは成功からではなく、失敗からであること。成功は一見、自分の努力によって得ることができたものと勘違いしがちですが、実際にはたんなる偶然である場合が多い。よって成功から学べることは何もない。でも失敗したときは、どこでどう間違ったのかを具体的に指摘できます。これは他人の経験においてもそうで、誰かの成功物語よりも失敗からのほうがはるかに密度の高い情報を得られます。

我々はまず、失敗はすべての人が人生で経験するもので、それは人生の一部であって何も恥じるべきではないことを認識するべきです。そう捉えるだけでも、気持ちが楽になります。次に自分のこれまでの失敗を書き出し、失敗が起きた原因を細かく分析します。そうすれば、同じ間違いを犯すことはなくなるでしょう。また失敗を一定期間書き留めていると、自分の弱点のパターンがわかってきます。すると弱点をカバーするために長所を磨いたり、他の人の力を借りたりして、失敗を減らすことができると同時に、「自分は自身が思うほど偉大な存在ではない」と謙虚になることができるのです。

ニュースを見るよりも書物を熟読するほうが大切

――コロナ禍により、我々が時事的な情報に触れる機会は増えています。しかしあなたは、ニュースを見る量を減らすことを薦めていますね。なぜでしょうか。

ドベリ　一般の人は、ニュースを見ると世界について何かを学ぶことができる、公私ともに人生のより良い決断につながると考えている。しかし、その発想は大きな間違いだといわざるをえない。人はニュースをずっと見ていると、「知識の錯覚」に陥ります。知識を得ているのではなく、不必要な雑音に振り回されているのです。

ではどうすればいいかというと、先ほど述べた「能力の輪」を確立させ、その中に納まる情報だけを集めればいい。どこかの国で飛行機が墜落したとか、ある国の大統領が他国の指導者と握手したところで、率直に言ってあなたには何の関係もありません。すぐ実行に移すのは難しいかもしれませんが、大半のニュースをシャットアウトしたところで、何の問題もないことがやがてわかるでしょう。

西洋には昔から、「自分が影響を与えられないことは気にするべきではない。自分が影響を与えられることだけに集中すべきである」というストア派の哲学があります。アメリカの大統領にドナルド・トランプが再選するか、ジョー・バイデンが勝利するかについて、私が影響を及ぼすことはできない。私はアメリカ人ではなく、選挙権もないからです。ですからアメリカ大統領選の結果に気持ちを乱されることはない。影響力のない人は、皆それくらい距離を置いたほうがいいのです。それよりも、自分の「能力の輪」に関する、非常に長くて内容が深い記事や書物を熟読するほうがはるかに大切です。

――またあなたは「人生では修正が大事である」と述べており、事例として各国の憲法改正を挙げていますす。しかし日本は、戦後一度も憲法を変えていません。これは異常だといえるでしょうか。

ドベリ　他の国と比べると、たしかに異常ですね（笑）。ただし私は、日本に憲法改正の「次善策」があるかどうかを知っているほど、日本社会について詳しくはありません。「次善策」というのはつまり、憲法を改正するのではなく、他の手段で社会様式を実質的に変えるということです。

日本は優秀な海上自衛隊を有していますが、憲法には明記されていませんね。個人的には国防のために優秀な部隊をもつことには大賛成ですし、憲法にも明記すれば良いと思いますが、憲法になくても自衛隊が強い力をもっているのは、ある意味で憲法を改正しているようなものです。そのほうがむしろ賢明です。

――あなたは「日本はすばらしい国」と言いましたが、どこが魅力でしょうか。

ドベリ　決してお世辞ではなく（笑）、日本に対してネガティブなイメージはありません。私は過去に二度、日本を訪れたことがありますが、二度とも「こんなに文化的で落ち着いた国はない」と感じました。人びとは皆フレンドリーで、何よりも、食べ物が世界一美味しい！　日本には、世界から尊敬される点がたくさんあります。

地政学的に見れば、日本は興味深い位置にあります。台頭する中国の脅威につねに晒されており、尖閣諸島などの領有権を守るなど国防面での課題が山積している。また貿易で他国との交流が盛んな半面、輸入に頼っているので、交易が閉ざされると大きな打撃を受けてしまいます。

政治に対する発言権が幸福度を高める

――たしかに日本人は基本的にフレンドリーかもしれませんが、一方で社会における同調圧力の強さが指摘されています。心の奥底では反対していても、表向きは賛同しているふりをして、他人と同じような行動をとりがちです。たとえばマスクを着用する必要がない状況でも、周りからの目を気にして誰もがつけています。

ドベリ　同調圧力は日本だけではなく、アジア諸国のほとんどに存在している気がします。ヨーロッパには、十七世紀後半に始まった啓蒙時代から今日まで、それまで主流とされていた思想や宗教を自己批判する文化が根づいています。ただ、アジアはそうではありませんよね。ですから、なかなか変えられるものではないでしょう。

ただしそれが合理的である場合、同調するのは必ずしも悪いことではありません。とくにパンデミックのいまは、アジア諸国の同調圧力はいい方向に働いているように思えます。

——スイスで暮らしていて、同調圧力を感じることはありますか？

ドベリ　まったくありませんね。我々が特定の行動をとるのは、他の人全員がしているからではなく、その行動に意味があると思うからです。私の自宅の近くには中国やトルコ、日本などアジア諸国の大使館がありますが、職員たちは車を一人で運転しているときでさえマスクをつけています。まったく意味がなく、正直に言って理解できません。

もちろん私も、屋内にいるときや近距離に人がいるときはマスクを着用します。でもあなたが言うような「必要がない場合でも批判を恐れて行動する」という意味の同調圧力を感じたことはありません。それがヨーロッパの考え方です。

――二〇二〇年三月に「世界幸福度ランキング」が発表され、あなたの国スイスは三位、日本は六二位でした。日本は「健康寿命」では上位ですが、「人生の選択の自由度」と「他者への寛大さ」では順位が低い。両国の差は何から生まれているのでしょう。

ドベリ　私は幸福についての専門家でもありませんので、スイスの経済学者ブルーノ・フライ（チューリッヒ大学教授。著書に『幸福度をはかる経済学』ＮＴＴ出版）の研究を参考にしましょう。彼は、幸福度を測る重要な要素の一つは、市民がどれくらい政治や社会に影響をもつことができるかである、と述べています。

スイスでは毎週のように、何かしらの社会問題について住民投票が行なわれます。たとえば市が路上に花を植える際、橋の向こう側に植えるかこちら側に植えるか、といった事項も住民投票で決定する。市民が政治に対して、大きな発言権と影響力をもっているのです。その姿はまるで、「democracy on steroids（ステロイドに依存した民主主義：極端な民主主義）」と言っても過言ではない。面倒にも思えますが、こうした面倒がスイスの幸福度を高めているのでしょう。

Chapter 3

国民の命を守る経済へ

健康、教育、衛生分野などがGDPに占める割合を高めよ

ジャック・アタリ氏は、つねに一歩下がった冷静な世界情勢分析で定評がある。このインタビューでは、新型コロナ対応、EUの現状、いま最も注視されている中国の動向、世界的に取り組むべきイシューなど、幅広く訊いた。

自由の価値を強調するアタリ氏だが、アメリカについては「自分たちのやり方を世界中に広めようとする国」と単刀直入に言う。自国のやり方を他国に押し付けるべきではないのは当然のことだが、バイデン大統領もその過ちを冒そうとしているように見える。日本はそれこそ民主国家の一員として、米中の二大大国との関係をどうしていくべきか、悩ましい局面に来ていよう。

Jacques Attali

ジャック・アタリ

経済学者

Photo: EPA=時事

1943年、アルジェリア生まれ。フランス国立行政学院（ENA）卒業。81年、フランソワ・ミッテラン大統領顧問、91年、欧州復興開発銀行の初代総裁などの要職を歴任。著書（邦訳）に『新世界秩序』『21世紀の歴史』『金融危機後の世界』（いずれも作品社）、『2030年 ジャック・アタリの未来予測』『命の経済』（いずれもプレジデント社）など。

将来起こりそうな脅威のリストをつくれ

――新型コロナ禍により、世界は一変しました。あなたはパンデミックとの戦いを「戦争」と位置付けています。たいていの戦争はいつか終わりを迎えるものですが、今回のパンデミックに関しては、有効なワクチンをもっていたとしてもウイルスを撲滅（ぼくめつ）させることはできないといわれています。撲滅ではなく、共存をめざすべきとの意見もありますが、この主張についてどう考えますか。

アタリ　なぜ私が「戦争」と呼んでいるか、その意図から話さなくてはなりませんね。もちろん、目に見える敵と戦う本当の戦争だと言いたいのではなく、「economy of war」、つまり戦時体制の経済が必要だという意味です。いま重要なのは、私が「命の経済（economy of life）」と呼んで重視している経済分野に、現状は乏しいリソース（資源）を集中させること。そして、資金調達や産業促進を市場に任せてゆっくりと進めるのではなく、戦時体制下のように、強制的かつ迅速に進めることです。

ちなみに、戦争は非常に長期間続くこともあります。百年以上続いた戦争がヨーロッパにはありますし、一六一八年から一六四八年のあいだに中央ヨーロッパが主戦場となった、宗教戦争として知られている三十年戦争もありました。ですから、戦争は必ずしも短いものであるとは限りません。しかし、あなたが言うように、将来的に人類はウイルスの脅威と共存しなければならないでしょう。脅威は我々のすぐそばに潜んでいますが、不意打ちを食らわないように備える必要があります。

私が韓国の戦略を非常に注目すべき例として挙げる理由は、まさにこれです。韓国には、過去のパンデミック（二〇一五年のMERS〈中東呼吸器症候群〉）で対応に失敗した痛い経験がありました。それが教訓となって、次にやってくるパンデミックに対して備えができていたのです。だから、今回の対応に成功した。その成功物語を世界は見習うべきです。

我々がまずやるべきは、将来起こりそうな脅威のリストをつくることです。パンデミックだけではなく、気候変動や廃棄物処理、核拡散イシューなどの社会問題も含めて、具体的にリストをつくり、その脅威を目の当たりにしたときの備えがあるかどうかをチェックする。いまはその備えがありません。

――「命の経済」という言葉は、近著のタイトルにも掲げているキーフレーズですね。

アタリ　各国の政府や投資家が、最優先すべき一連の経済セクターを指す言葉として用いています。この時代に最も必要とされる要素を象徴しているともいえる。人工的な豊かさにあふれる時代がやってきてから、すっかり忘れ去られてしまったものです。

いま人類は化石燃料、ファッション、プラスチック、自動車、宇宙飛行などにお金を使いすぎています。一方で健康、教育、デジタル、カルチャー、廃棄物処理、衛生、理想的な食物や農業などの分野には十分な投資がなされていない。これこそが私が「命の経済」と呼ぶセクターですが、世界のＧＤＰに対する割合は四〇～六〇％ほどしかありません。

そもそも、今回のコロナ禍も各国の指導者が医療現場への財政支援を削減してきたのと関係があります。医師や看護師は過剰な負担を求められた。国民の命を大切にする「命の経済」が産業全体の八〇％以上を占めるように、いまこそ経済構造を再編すべきです。

スペイン風邪の教訓を活かせなかった

――新型コロナ対応に成功した国と失敗した国があります。両者を分けた要因をどう考えますか。

アタリ　成功した例として韓国を挙げましたが、あなたが住む日本も、感染者数や死者数、重症者数が欧米と比べれば驚くほど少ないといえます。

外から見ていて、韓国や日本といったアジア諸国が感染防止に成功した要因の一つに感じるのは、すでに準備態勢が整っていたからです。民主主義国家にしては、（まるで独裁国家のように）ルールに従いますよね。以前にパンデミックを経験しており、マスクをつける習慣もありました。

ところが、ヨーロッパや他の国では、その経験も習慣もなく、今回の危機に際しても、マスクの着用を真剣に受け止める人は多くなかった。

――感染症対策における国際機関の役割にも注目が集まりました。WHO（世界保健機関）が、パンデミックの宣言を発出したのは二〇二〇年三月十一日ですが、あまりにも遅すぎたと指摘されました。

アタリ　ＷＨＯは失策ばかり犯しています。感染拡大防止の好例として中国のことばかりを口にしていましたが、韓国や日本の対応についてはほとんど触れなかった。

もちろん、マスクの着用だけでは感染は防げません。感染者の追跡、検査の拡充、そしてロックダウン（都市封鎖）の組み合わせが必要です。しかし欧米人やラテンアメリカ人、インド人にはその習慣がなかった。だから、第一波の際に感染が爆発的に拡大し、手に負えない事態に陥ってしまったのです。

——ＷＨＯの姿勢はあまりにも中国寄りだと非難されましたね。世界でコロナ感染の「第三波」、あるいは「第四波」「第五波」が到来していますが、あなたが住むフランスも深刻な状況です。「第一波・第二波」の教訓から、我々は何を学ぶべきでしょうか。

アタリ　新型コロナの第一波が訪れた際、マスクや感染者の追跡、ロックダウンの必要性に対する理解が不十分であったことです。

ほぼ一世紀前の一九一八〜一九二〇年には、いわゆるスペイン風邪が猛威を振るい、三度の大きな波が人類を襲いましたが、それは備えが十分でなかったからです。我々はこの事実を忘れてしまっていました。

無責任な中国には超大国になる資格はない

――ドイツの文化哲学者オスヴァルト・シュペングラーは、第一次世界大戦直後に「西洋の没落」を唱えました。約百年が経って新たな世界的危機に立つなか、「西洋の再没落」を指摘する声も聞かれます。欧州の現状をどうご覧になりますか。

アタリ　欧州は危機的状況だといわれますが、じつは実態は反対です。EU（欧州連合）諸国は民主国だけで構成されており、世界に大きな影響力をもっています。EUは感染拡大で甚大（じんだい）な打撃を被（こうむ）っている加盟国を支援するために、一〇〇〇億ユーロ（約一一兆円）規模の融資プログラムを進めるほど一致団結している。

米中関係が悪化しているなか、欧州諸国はより結束力を強めるべき局面です。そのためにはEUが行政機関としてさらにリーダーシップを発揮する必要があるでしょう。「EUは分裂している。失敗だ」と揶揄する人がいますが、私はその考えに与しません。食糧、衛生、教育、エネルギー、水資源、医療研究、安全保障、デジタルといった、人の生命に関係するあらゆる分野で、EUの結束は固いのです。

——世界秩序の趨勢を考えるうえで、中国の動向は無視できません。同国の動きをどう見ていますか。

アタリ　中国のGDPはアメリカのおよそ四分の三に達しており、デジタル覇権をめぐる争いの余波も世界中で広がっています。国際機関においても中国の存在感が高まる一方で、アメリカの影響力は薄れている。

しかし長期的に見ると、中国式の監視型独裁政治はやがて行き詰まるでしょう。人間は最終的には自由を求めるからです。しかも中国は、食糧を輸入に頼らないと賄えない構造的な問題を抱えています。

WHOはたびたび中国を擁護しますが、そもそも中国が最初に新型コロナの情報を隠蔽したことがパンデミックの根本的な原因です。そんな無責任な国に超大国になる資格はありません。

――世界的課題としては昨今、気候変動の議論が盛り上がっています。あなたもカーボンフリー（二酸化炭素非排出）エネルギーへの移行を提言していますね。コロナ後の最重要イシューといえますか。

アタリ　気候変動問題は重要課題の一つですが、「命の経済」について説明したように、カーボンフリーだけを考えればよいわけではない。たとえば気候変動問題に取り組んでいても、保健・衛生上の危機は解決できませんよね。その他のイシューにも同時に取り組まなければなりません。私がカーボンフリーではなく、「命の経済」が重要だというのは、それが理由です。気候変動問題は「命の経済」の一側面にすぎません。

日本は中国の民主主義への移行をあと押しせよ

――日本は中国や北朝鮮による軍事的脅威に直面し、米中対立の狭間(はざま)に立っています。この厳しい局面を生き抜くために、いかなる戦略をとるべきでしょうか。

アタリ　第一に、日本はアメリカという軍事大国の傘に守られている以上、アメリカが去ったら孤軍奮闘しなければならないことを心しておくべきです。そうなったら、自国の未来は自分たちで守るしかありません。

第二に、中国の申し出に合意する方法を何かしら探る必要があります。われわれフランスが戦後、かつての敵国ドイツと関係を修復したようにです。難しいでしょうが、それ以外に方法はありません。フランスもドイツとのやり取りには苦労しました。

――香港では自由と言論の弾圧が続いていますが、次に心配なのが「民主国」の台湾です。

アタリ　台湾海峡をめぐり、中国と日本、アメリカが衝突するかもしれません。しかし、前述したように、人間は最終的に自由を求めます。日本がなすべきことは、中国が民主主義に移行するのを粘り強くあと押ししていくことです。中国の中産階級は民主主義を望んでいます。

――他方、日本はアメリカとの関係をどう維持していくべきですか。

アタリ　そもそもアメリカは、自分たちのやり方を世界中に広めようとする国です。いかなる国も自国を優先するのは当たり前ですが、そのやり方を他国に押し付けてはいけない。デジタル分野にしてもGAFAM（グーグル、アマゾン、フェイスブック、アップル、マイクロソフト）が世界を圧倒しています。パンデミックでGAFAMはますます強力になり、業績を伸ばしている。

アップルとグーグルは、新型コロナの感染者を追跡できるアプリを共同開発しました。危機に迅速に対応できるパワーは、他社の追随を許しません。GAFAMがあまりにもパワーをもっているので、欧州でもアメリカでも、彼らに対する風当たりはかなり強まっている。しかし、GAFAMはそれを無視しているかのように振る舞い、さらには人びとの個人情報を政治利用しています。

各国はまず、GAFAMのパワーを抑えるために、彼らと渡り合えるソーシャル・メディアやデジタル企業を発展させることから始めなければなりません。我々のほうにも、アメリカの文化や技術、やり方に魅了され、手放しで受け入れてしまっているという反省がある。自分たちがアメリカとは関係ない、自立した存在であることを自覚しなければなりません。さもなければ、世界中がアメリカの企業に支配されてしまいます。

――日本経済再生のためにアドバイスできることは何でしょうか。

アタリ　日本は、企業の倒産や自殺がこれ以上増えないように、政府や自治体による支援をもっと増やすべきです。いまはいくら支援してもしすぎることはありません。国の借金を心配するよりも、経済的援助を最優先するべきです。それがなければ、経済の回復が遅れてしまいます。

さらに、これは日本以外にもいえることですが、大打撃を受けている観光業を救わなければいけません。世界のGDPに占める観光業の割合は一〇％以上もあります。この分野を何としてでも好転させないと、他のセクターの経済も甦りません。世界経済復活のポイントは、観光業の再生にあるのです。

Chapter 4

地域の雇用を守る協同組合のあり方

巨大企業によって疎外された人たちの連帯と実践

協同組合というと、日本でも一八七九年に遡るまでの古い歴史がある。多くのビジネスが協同組合のモデルから生まれているが、二〇一一年の「オキュパイ・ウォールストリート」という世界中に知れ渡った社会運動の背景には、協同組合の存在があったことは案外知られていない。

協同組合は、地球規模で注目されているグリーン経済の強力な基盤にもなっている。資本主義の限界が叫ばれている中、ネイサン・シュナイダー氏はポスト資本主義のモデルとして、それが無限の可能性を秘めていることを、このインタビューで説得力をもって説明している。

Nathan Schneider

ネイサン・シュナイダー

ジャーナリスト

コロラド大学ボルダー校メディアスタディーズ学部助教授。経済、技術、宗教について執筆活動をしており、『ニューヨーク・タイムズ』『ニューヨーカー』『ニュー・リパブリック』『カソリック・ワーカー』などに寄稿している。著書（邦訳）に『ネクスト・シェア』（東洋経済新報社）など。

多くのビジネスが協同組合のモデルから生まれた

――協同組合の歴史は、一八四四年にイギリスのロッチデールという町で、織物工など二八人の労働者が創設したのが始まりといわれています。このとき、組合員は自ら出資者の一人として組合が所有する店舗で日用品を購入し、かつ経営に平等に関与するという協同組合の原型ができました。あなたの『ネクスト・シェア』（東洋経済新報社）を読むと、母方の祖父は電力の協同組合の一員だったそうですね。

シュナイダー　実は、祖父が電力の協同組合の一員であったかどうかは定かではありません。祖父が育った土地には、協同組合ができて電線を通すまで、電気が通っていませんでした。祖父はその地域の農場に電気を通す仕事に関わっていたのですが、それが協同組合の管轄だったのか自治体の仕事だったのか、はっきりしていないのです。

歴史的に見て、協同組合の存在意義は時間の経過とともに変化してきました。ある特定の政治的傾向と関係してきたムーブメントというわけではありません。イタリアでは、（まったく真逆の信条をもつ）共産主義者とカトリック保守派が共にリーダーとなって協同組合のムーブメントを起こしました。またアメリカの地方では、一世紀ほど前なら協同組合といえば左派というイメージだったでしょうが、いまは右派の政治家候補のために資金を集めている。ですから協同組合を築くということは、実に興味深いやり方で政治的・宗教的な垣根を越え、さまざまな文化の中で自身の存在を表すという慣習なのです。

――あなたは、二〇一一年の「オキュパイ・ウォールストリート（ウォール街を占拠せよ）・ムーブメント」で若い活動家たちが協同組合をつくりはじめたことで、これに興味をもつようになったと書いています。現在のアメリカ、または世界で、協同組合が再び注目されるようになった理由は何でしょうか。

シュナイダー　二〇〇八年のリーマン・ショック以来、私自身、この十数年はプロテスター（抗議者）側と代替システムを構築しようとしている側の両方を追いかけ、どっちつかずだった気がします。ただ確かなのは、オキュパイ・ウォールストリート・ムーブメントが世界中で大規模な抗議活動を誘発したことです。それは同時に、本当にアカウンタブルな

（個々人が責任・当事者意識をもてる）経済システムであり、我々の価値観と合致する経済システムとはこのような形ではないかと人びとに問うことになりました。いまのシステムは明らかに違うという反証の意味でアカウンタブル性を問うたのです。このことが協同組合のムーブメントを再発見し、また協同組合を一から創設しようという動機付けとなりました。

もちろん、昔から連綿と続き輝かしいレガシー（遺産）になっている協同組合もあるのですが、新しい世代は自分で自分の進む道を見つけ出そうとしていることが多く、それは決して平坦な道のりではないでしょう。

——地域によって差はあるのでしょうが、アメリカでは現在、協同組合でどんな動きがありますか。それはポスト資本主義の担い手となるでしょうか。

シュナイダー　現在、生まれている協同組合のモデルは、古いモデルとはかなり種類が異なります。先ほど祖父の話が出ましたが、彼が関わってきた協同組合は主に白人男性で成り立っており、移民に危惧の念を抱いていました。

反対に新しい協同組合の多くは移民たち、そして旧来のモデルでは不公平だった人種間のバランスを公平にして人種差別撤廃を掲げようと奮闘する人たちのあいだで出現しています。たとえそれが誰もが知るようなレガシーの一部だったとしても、現在台頭しているムーブメントはあらゆる意味でかつてのモデルがめざしていた姿とは異なります。

もう一つの要因はテクノロジーです。昔の協同組合は、お互いに知っている人、同じコミュニティに属する人たちのニーズを満たすことに重点を置くローカルな組織がほとんどという傾向がありました。これに対して、新しい世代が発展させようとしているのは、世界的な広がりをもち、新たな価値と関係性構築のためにテクノロジーを利用するような協同組合です。

その好例が、ストックシー・ユナイテッド（Stocksy United）です。ロイヤリティフリーの写真・動画をストック・提供するプラットフォームで、その写真・動画を撮影した写真家たちによって運営されており、写真家たちの出身国は多岐にわたります。まだ課題は山積みですが、創設当初から国際化を高い目標に掲げようというような協同組合のムーブメントにとって、道しるべになるともいえます。

――現在、日本でももっとも馴染みの深い協同組合は、消費者の出資により、商品や宅配、介護などのサービスを受ける生活協同組合で、「コープ（CO・OP）」の愛称で呼ばれています。日本のコープは、組合員でなくても店舗で買い物ができますが、これはアメリカでもそうですか？　たとえば、コストコ（アメリカではコスコ）は協同組合ですか。

シュナイダー　コストコは会員制ですが、協同組合ではありません。ただ多くのビジネスが、出資してサービスを得られるという協同組合のアイデアから生まれています。アマゾンのプライム会員のようなものでさえそうです。もちろん、アマゾンには「アカウンタビリティ（組合員として責任を持つこと）」や「共同所有」という概念はなく、投資家が所有する企業ですが、協同組合のアイデアはいろいろな方法で取り入れられています。

実際の協同組合は、実にさまざまな形で会員制を実行しています。たとえば、ブルックリン（ニューヨーク市）にあるパークスロープ・フードコープ（Park Slope Food Coop）という食料品店では、会員が店舗で働いて労働を提供することになっている。つまり、実際にガバナンスに関わるということです。

組合員の意思次第では、組合員になることを大きな投資機会にできるかもしれません。出資金を一切廃止することも可能でしょう。協同組合の運営方法はやり方次第ですが、外部の資本に頼って成長・発展するくらいなら、組合員を第一に置き自前のリソースを使って成長・発展するほうを選ぶのが協同組合というビジネスです。

社会運動の背後には協同組合の存在がある

——黒人（アフリカ系アメリカ人）の自治国家をアメリカに設立しようという運動、RNA（Republic of New Afrika：新アフリカ共和国）について日本ではほとんど知られていません。これはBLM（Black Lives Matter：ブラック・ライブズ・マター）運動の先駆けであると、捉えてよいのでしょうか？　協同組合とも関係があるそうですが。

シュナイダー　RNA運動は一九六〇年代から七〇年代、アフリカ大陸や英領西インド諸島全体で民族解放運動が起きていたときに、アメリカで出てきた運動の一つです。

他に同じような解放を求めていた有名な組織としては、Black Panther Party（黒豹党：一九六五年のマルコムX暗殺後に結成されたアメリカの黒人解放組織）があります。このような運動の多くが、黒人の自治権（autonomy）を築く戦略として協同組合モデルに頼ることを選びました。ＢＬＭもそのケースの一つです。

重要なのは、アメリカやその他多くの国では、社会運動が抵抗力をつけるのに、協同組合を基盤として使ってきたということです。アメリカの公民権運動も同じです。多くの労働運動も、人びとの自律性を育て生活を向上させる方法としてだけではなく、交渉力を強化するために協同組合を築きました。

前述した「オキュパイ・ウォールストリート・ムーブメント」もそうですが、こうした抵抗運動を掘り下げているうちに、はっと気づいたのです。実質どんな抵抗運動も、いま市中で繰り広げられているどんな光景も、背後には協同組合の存在があるのだと。あるいは協同組合というよりも、「抵抗力をつけるため、市中での抗議活動よりもっと長期にわたって抵抗を続けられるよう準備するための、協同組合というムーブメント全体」といったほうがいいかもしれません。

社会運動の歴史について調べれば調べるほど、その実感は増します。たとえばガンジーは、自身が建設的プログラム（Constructive Program）と呼んでいた運動（全インド紡糸工連盟設立による農村手工業の発展、不可触民解放の運動、ヒンドゥー・ムスリム間の統合、新教育運動など）の目的は、一〇パーセントは抵抗だったが、残り九〇パーセントは経済的自給自足が目的だったと語っています。

——英語のBlack Lives MatterのLivesは「命」の意味が一番強いと思いますが、「生活」という意味もありますね。日本語はどれか一つを選んで訳さないといけないので「命」が使われます。

シュナイダー　BLMについてはそのリーダーたちに説明を譲りますが、私の精一杯の解釈では、第一の意味は肌の色、文化、コミュニティの違いのために、警察に気まぐれに殺される危険性が高いという黒人たちの感覚からきているのでしょう。コロナ禍でも黒人の死亡率の高さが取り沙汰されましたが、自分たちの生存権が他の人種のそれよりも脆弱だということです。それから「重要なのは生活の質（quality of life）である」という要素もあります。

一つ協同組合のムーブメントに関連して興味深いのは、とりわけ黒人コミュニティで登場している取り組みには、その「生活」の部分を強調している面があることです。

たとえば、私が住んでいるコロラド州デンバーには、ヨガ協同組合があります。そのトップは黒人と非白人の女性たちです。彼女たちはヒーリング（癒やし）を得ること、そして他の人種の人が感じることがないであろうトラウマを、自分たちが往々にして感じていると認めることを重んじています。その協同組合の任務は、ヨガに来る人びとを癒し、ただ生きるのみならず健やか（すこ）で充実した生活を送る権利を尊重することにあります。それは協同組合ムーブメントの目的とも重なります。

――RNA運動の担い手であったチョクウェ・ルムンバは、ミシシッピ州ジャクソン市（同州の州都にして最大の都市であり、アメリカ全土の中でも特に黒人住民の割合が高い）の市長に就任後、数カ月して惜しくも亡くなっています。アフリカ系アメリカ人の経済基盤を整えるうえで彼が柱としたのが、市のさまざまな事業を請け負う労働者所有の協同組合でした。具体的にどんな取り組みだったのでしょうか。

シュナイダー　いまいわれたように、彼はジャクソン市の市長になってまもなく亡くなってしまいました。その前はよく知られた弁護士で、時には怪しげなアクティビスト（政治活動家）たちの弁護もしており、やがて政治的戦略を打ち立てる一員になったわけです。

しかし彼の功績は、別のところにあるように思います。市長としての在任期間が短かったからこそ、政治の場だけでなく、協同組合的経済、そしてコミュニティの力を協同組合ムーブメントに固く結び付けることができた。それこそが彼の本当の功績だったのではないかと思うのです。ルムンバの後任として就任した市長はその遺志を継承することがうまくできなかった。現在はルムンバの息子が市長になり、協同組合的経済を発展させる仕事を継続しています。

政治的リーダーがやるべきことは、協同組合の重要性を認識し、市民に目を向けさせることと。またそれだけではなく、協同組合が直面しがちな課題を克服可能にすることです。市の財源を使い、市民が一般的な商店ではなく協同組合で買い物をするように促すといった戦略が、協同組合の欠点克服を可能にします。経済のルールは、明らかに一般的な会社のために作られていますからね。

グリーン経済の基盤になる

――私は二〇二〇年、脱炭素に向けた国家的なエネルギー戦略、「グリーン・ニューディール」の提唱者であるジェレミー・リフキン氏に取材しました。彼がいう「グリーン・ニューディール」の主な担い手に、協同組合がなる可能性はあるでしょうか。

シュナイダー もちろんです。そもそも「グリーン・ニューディール」の声明文ですでに労働者協同組合（worker cooperatives）について言及されていますが、協同組合のモデルというのは、人びとの価値観に応えるビジネスを創出することに抜群に長けていると私は思っています。その応答スピードは、市場が反応するよりも速い。

たとえば、オーガニック・バレー（Organic Valley）などは、このモデルに乗っ取って発展してきた数多くあるグリーン・ビジネスの一つです。アメリカにおける乳製品・オーガニック食品の生産者協同組合最大手であり、他のビジネスが当時手を出そうとしなかったことをしてやろうと、協同組合モデルを利用してオーガニック市場を確立させることに貢献しました。

グリーンエネルギー開発などの分野では、このような協同所有（shared ownership）のモデルがすでに数多く見られます。私の町にナマステ・ソーラー（Namasté Solar）という大成功を収めたソーラーパネル会社がありますが、それも労働者協同組合です。ナマステ・ソーラーはアミカス・ソーラー（Amicus Solar）という国の購買協同組合を結成し、さらに国のクレジットユニオン（信用組合）も有しています。グリーン経済実現に向かって進むべく、それぞれ異なる三タイプの協同組合を同時に連携させているのです。

――地産地消のモデルですね。

シュナイダー　とりわけグリーン経済はさらに地域密着型を目指す必要があるため、地域社会の声により耳を傾けなければなりません。資本集中型の大規模な発電所モデルではなく、もっと分散型電源のモデルになるでしょう。大口の投資家が所有する企業には苦手な分野であり、協同組合の強みが発揮される分野です。

いまこそ、協同組合が一九三〇年代にアメリカの地方全域へ十年あまりで電気を通したのと同じようなことをする絶好の機会なのです。もしグリーン経済に正しく投資すれば、われわれはエネルギーシステムのみならず、経済全体を変容させるために協同組合モデルを利用することができるでしょう。

制限を受けることなく活動できるようにすべき

――世界には無数の協同組合があると思いますが、地域の組合員のためにという理念を失い、普通の営利企業になってしまっているところもあるのでは？　当初の理念を取り戻すためには、何が必要でしょうか。

シュナイダー　人びとの関心やムーブメントを高めることもそうですが、政策を利用することが重要だと思います。これまで協同組合のムーブメントにおいて多大な功績が多々残されてきたのは、法的構造が協同組合に対する偏見を捨て、その他一般的な企業と同じことができるように門戸を開いたからに他なりません。

我々はその事実を認識すべきです。アメリカでは、協同組合形態の銀行が正式に認められ、また協同組合形態の電力会社が融資を受けられるようになった途端、すべてがうまく運ぶようになりました。

これまでのアメリカにおける最大の問題は、協同組合に制限をかけすぎたことだと思います。資本主義（営利目的の企業）は何でもやりたいことができるにもかかわらず、協同組合はこの業種、この取引だけ、少なくとも融資の金額はこれだけ、というように活動が非常に狭い範囲に限定されています。

現在、私が夢想しているのは、いままで述べてきた協同組合のさまざまな成功体験から学んだ教訓を経済全体に膨らませ、どんなグループであれ、活動内容が妥当である限り制限を受けることなく活動し、融資も受けられるようにすることです。

たとえば、新しいエネルギー源としてソーラーパネル・アンテナの建設を考えているようなコミュニティが、わざわざ裕福な投資家を探しに行くのではなく、投資家から融資を受けて自分たちでソーラーパネルを共有し、協同で運営できるようにしなければなりません。それがノーマル（常態）になるべきです。

これはある意味でラジカル（急進的）な考え方ですが、ここで取り上げているのは、すべて過去に機能していた物事です。過去に機能していた物事をごく狭い経済グループに押し込めておくのではなく、あらゆる種類のビジネスに向けて開放しよう、という話にすぎません。

想像していただきたいのですが、もし国家の政策で、投資家は経済団体に指定された部門以外に投資をしてはならないと決まったら、どうでしょう。そんなのはまったく常軌を逸した話ですよね。いま協同組合が取り組まなければいけないのは、まさにそういう状況なのです。

従業員や地域に責任をもたない会社が増えている

――本書『ネクスト・シェア』で再三強調されているように、シリコンバレーから生まれたシェアリング・エコノミーは、そのシェアという名とは反対に、GAFAなど一部のテック企業と、その投資家たちだけが儲かる〝強化された資本主義〟になってしまいました。

シュナイダー　そうですね、シェアとはいってもうわべだけで、アマゾンのプライム・メンバーシップなどもメンバーシップとは名ばかりで、会員制の構造は成していません。これまでのシェアリング・エコノミーは製品のシェアリングであって、会社そのもののシェアリングではなかった。結果として、会社に生計を左右される顧客や従業員に対し、アカウンタビリティ（責任）をまったくもち合わせない会社が増えている。

たとえば、ライドシェアの運営会社は運転手たちに対して責任をもっていませんし、住宅のリフォーム・転売を繰り返す不動産会社は、地域のコミュニティに対してまったくの無責任です。

こういう企業が成功を享受できるのは、投資家たちが企業とぐるになって好き放題できるようになっているからです。彼らは労働者が倒れるまで酷使し、最低賃金を下げ、何世代ものあいだ労働者が必死に築いてきたものを破壊してしまいます。

ただこの状況は、あるムーブメントにとってはいい刺激にもなっています。「アプリを使って物をシェアしたり、人とつながったりするってすごくいいアイデアだよね、ただしアカウンタビリティを重視しながらやろうね」という人たちのムーブメントです。

私は、そんな志をもった多くのスタートアップ企業と、幸運にも仕事をする機会がありました。ただ、やさしい仕事ではなかった。コミュニティを創設しようとしても、それで最終的にお金を得るのは、コミュニティであって投資家ではない。コミュニティが生み出す価値を提供するといっても、ではお金ではなく価値をもらいましょうという人は誰もいない。いくらお金があっても足りないのです。ですから、より健全なものを支援するように資本の方向を転換させる方法を見つけ出さなければなりませんね。

たとえば、昔から多くの国にある公共放送がそうです。公共放送の番組は少しばかり退屈かもしれませんが、もしすべてが民間運営になると放送の質や信頼性は落ちてしまうでしょう。同じように、民間のフェイスブックやツイッターに代わる、政治的リーダーのメッセージを発信するような公共のサービスも必要でしょう。情報という基礎的インフラを構築するためには、フェイスブックなどのような利益優先の企業に頼っていてはいけません。

――シェアリング・エコノミーのそうした皮肉な帰結に対抗するのに、協同組合こそが、有効な武器になると考えているのでしょうか。

シュナイダー 原則上は可能です。実際にそれを可能にする方法を探っている人も多い。ただ問題なのは、現行のシステムが投資家重視のモデルに傾きすぎているため、資本を協同組合に流す方法を見つけ出さない限り、抜本的対抗策にはならないことです。

アカウンタビリティのあるテクノロジーに投資したいのか、それとも投資家主導の市場がイノベーションを提供する唯一の場であっていいと本当に思っているのか。我々の社会はこの二択に直面しています。

私はベンチャーキャピタルの仕組みに反対しているわけではありませんが、より幅のある多様性が必要だと考えています。ベンチャーキャピタルが絶対に手を出そうとしないことをやる、そういうモデルに門戸を開く必要があるのです。

非営利組織によって運営されているウィキペディアがわかりやすい例です。これは共同創始者ジミー・ウェールズ自身の言葉ですが、もしウィキペディアがベンチャーキャピタルの支援を受けてスタートしていたら、これだけのボランティアが協力することはなかったでしょう。「公共の利益」になることがわかっていたから、公共の利益のために機能し意思決定する非営利団体で、利用者の閲覧履歴を嗅ぎまわったりすることがいまも今後もないと思ったから、ボランティアたちは貢献したのです。

このようにベンチャーキャピタルに支援されているわけではないテクノロジーが成長・繁栄する事例は非常に稀ですが、そのテクノロジーが数字では測れない価値を提供しているからこそ、この稀な機会が起きるのです。このようなアカウンタビリティのあるモデルによってどれだけの価値が生み出されているか、我々はしっかり評価しなければなりません。

――先ほどライドシェアの話が出ましたが、タクシー運転手による各地の協同組合は、ウーバーやリフトなどの巨大企業に本当に勝てるのでしょうか。

シュナイダー　そのような巨大企業は、新型コロナによるパンデミックが起きてから、かなり苦しんでいます。急速に状況が変化している。そして彼らが投資家たちに包み隠さず語ったところによると、従業員を人道的に扱うよう要求されたら、今後の業績はさらに苦しくなるだろうというのです。

ですから、こうした巨大企業が法律違反を犯して雇用における基本的な社会契約を破ることがないように防ぐ、それが基本ステップです。それにはグローバルなビジネスモデルよりも、もっとローカルなモデルのほうがうまく機能するかもしれません。

たとえば、テキサス州オースティン市では、ウーバーやリフトは、タクシーと同じルールを守るべきという法律をつくりました。安全のために運転手の指紋をとるという法律です。すると、運転手に指紋をとらせたくないウーバーやリフトは町から出て行きました。その代わりに出てきたのが、協同組合型のタクシー会社です。この会社のアプリもウーバーやリフトと同じように機能する。オースティン市のようなやり方を採用すれば、巨大企業に勝てるということです。

排他的なギルドになってはいけない

――日本で初めて協同組合ができたのは、一八七九年です。江戸時代が終わってから、わずか十年余りのことでした。資本主義の導入と同時に協同組合が設立されたわけですが、これまでその歴史的な重要性はあまりに注目されていなかったように思います。

シュナイダー 日本の例は興味深いですね。イギリスやアメリカでも、資本主義の企業を運営できる法律ができたころに、協同組合の運営が可能になる法律ができました。資本主義と協同組合の両者は同時発生したということです。

経済学のテキストや政府の声明を見ればわかりますが、一九二〇年、三〇年代になっても資本主義と協同組合の力関係はそこまで変わらず、拮抗(きっこう)していました。協同組合のモデルが世界の潮流から置いていかれるようになったのは、第二次世界大戦後です。私の考えでは、それは世界が「資本主義か共産主義か」に二極化したことが一因ではないかと思います。(協同組合という)その中間は、見て見ぬふりをされる。協同組合は当時も重大な役割を果たしていたにもかかわらずです。

Ｖｉｓａ（クレジットカード）も最初は協同組合として設立されました。国際的なバンキングシステムが協同組合の構造をもっていたのです。世界中の農業経済もかなりの部分が協同組合型の系譜に連なっています。しかし第二次世界大戦後、欧米の経済学のテキストからは協同組合の記述がほとんど消えてしまった。

最近のアクティビストたちはよく、協同組合こそ資本主義に代わるモデルだとかニュー・エコノミーだとかのたまっていますが、とんでもない。協同組合は、昔からずっと我々の生活に寄り添い、機能してきたものです。いますぐ近くのショッピングモールへ行って、協同組合との相互作用で機能しているビジネスがどれだけあるかを指摘することもできます。

まずは、協同組合がそれだけ身近な存在であると再認識すること。次に、協同組合の系譜に連ねて未来的なイノベーションを起こすにはどうすればいいか、方針を立てること。その二点が、われわれの抱える課題です。

――日本では、協同組合の一種である農協や漁協が、新規参入を拒む旧体制の象徴として、批判の対象になってきました。八〇年代のサッチャー、レーガンの新自由主義的な改革が日本に導入されると、その傾向は強まりました。このことについて、あなたはどう思いますか。

シュナイダー　それはすばらしい質問です。というのも、あるプレゼンテーションで、日本にある協同組合のリストを見たことがあり、「これは問題だ。資本主義の企業も入っている！」と思ったからです。

協同組合を農業とか漁業のような特定の枠に入れると、独占的な、中世のギルドのようなパターンになりがちです。そのような新規参入を拒む力に抵抗するためにこそ、協同組合ムーブメントの役割が欠かせないのです。時には国家の政策も必要になりますが。

アメリカにはＡＰ通信（Associated Press）という大手メディア企業があります。毎日、世界の人口の半分にそのニュースが届く。フェイスブックなどと比べると会社としての規模は小さいですが、リーチ数では肩を並べるほどです。ただ、ＡＰ通信は長年、完全な徒党でした。狭くて強固なクラブを築いて他の新聞を締め出す意地悪な記者連中の集まり、要はギャング集団です。一世紀前のフェイスブックといってもいいでしょう。

そのＡＰ通信が、協同組合だったのです。ＡＰ通信の組合員以外にはニュースを流さない、また非組合員がＡＰ通信に加入を希望しても現組合員は断ることができるといった制度が独禁法に触れ、一九四五年、ついにアメリカ最高裁がＡＰ通信への所属を誰もに認めるという判決を出しました。

協同組合の第一原則は、誰でも組合員になれること（open membership）です。排他的に行動することは、協同組合の原則に反します。しかし同時に、どんなビジネスでも、どんな人間の営みでもそうですが、人間というのは何か恐怖や閉塞感を抱き、防衛本能を刺激されると、先のような行動に出てしまうものです。

つまり、他者を排除し、壁を築くようになるのです。他者に門戸を開くくらいなら排他的になる。人をそんなふうにさせる何かがどんな組織構造にもあります。

私はＡＰ通信の幹部を何人か知っていますが、彼らは一九四五年の判決がこれまでＡＰ通信に起きたベストなことだといっています。判決によって強制的にでも改善とイノベーションが起こり、現在のグローバルな大企業という姿があるのですから。守りに入ってしまう傾向にある協同組合には、ぜひこのことを胸に刻んでおいてほしいものです。

Chapter 5

経済的な地盤を失った人たちの怒り

なぜ左派も右派も極端な方向に振れるのか

ダニエル・コーエン氏は経済学者であるが、経済理論という狭い分野にとどまらず、時代の大きな流れを俯瞰（ふかん）する能力が格段に優れている。とりわけポピュリスト・ムーブメントの背景についての説明には納得するのではないか。それは「反エスタブリッシュメント」の動きと重なる。

さらにコーエン氏は、我々はSNSを情報収集やコミュニケーションの手段として、うまく使っているように感じているが、実はその中毒になっていることに気づいていないと語る。一方、AIについては人間の労働を奪うなど、脅威であると感じている人も多いだろうが、AIは自らの行為を理論化する方法をもちえないという。このインタビューから、氏の慧眼（けいがん）をぜひ感じ取ってほしい。

Daniel Cohen

ダニエル・コーエン

経済学者

1953年、チュニジア生まれ。パリ高等師範学校（エコール・ノルマル・シュペリウール）経済学部長。2006年、経済学者トマ・ピケティらとパリ経済学校（EEP）を設立。同校元副学長であり、現在も教授を務める。『ル・モンド』紙論説委員。著書（邦訳）に『経済成長という呪い』（東洋経済新報社）、『ホモ・デジタリスの時代』（白水社）など。

物質主義を嫌った六〇年代後半の衝動が再来しつつある

――著書『ホモ・デジタリスの時代』（白水社）では、デジタル社会における経済成長の起源を一九六八年五月に求めています。当時はフランスの五月革命やアメリカの公民権運動、日本の左翼運動など、世界的に左派の動きが活発でした。あなたのフランスでの体験を含めて、当時の状況を教えてください。

コーエン　本書は、一九六八年五月からちょうど五十周年の節目に出版されました。ですから本書は、（五月革命の発端となったソルボンヌ大学での）学生たちによる抗議活動の話から始めています。ただ五月革命は、当時の潮流の中ではただの一波にすぎなかったことは明白です。六〇年代はアメリカではロック・カルチャーやヒッピー・ムーブメントが起こり、日本の大学でも似たようなうねりが生まれました。

背景には、この時期に世界の経済成長がピークに達し、すさまじい経済成長率をたたき出していたのと同時に、あらゆる人びとが社会活動に参加できる共生社会だったことがあります。しかし当時、若者たちはそんな社会に背を向けた。いまでこそ我々は、経済成長著しく、誰もが権利を享受できて不平等はほとんどなかった六〇年代を古き良き時代として懐かしみますが。

当時の若者がそうした社会を嫌ったのは、一つにはあまりにも物質主義だったからであり、もう一つは非人間的だったからです。工場の組立工程で、身を粉にして同じ作業を繰返しやらされることを、若者は下劣だと捉えていた。その後、われわれは当時のような産業社会から、いわゆるポスト産業社会に移行します。しかし、それほどの大きな変化を経たにもかかわらず、若者が六〇年代後半に苦慮した人生の目的を探し求める衝動のようなものが、いま再来しつつあります。

――一九六八年五月というと、コーエンさんは何歳でしたか？

コーエン　十四歳でした。五月革命は一九六八年から七八年まで丸十年続きました。世界を見渡すと、六〇年代は多くの抗議活動や革命が起きた年代です。私は二十五歳までその時代を生き、ヤングアダルトになりました。

八〇年代の保守的な反革命が格差社会の元凶

――一九八〇年代になると、アメリカのロナルド・レーガン大統領やイギリスのマーガレット・サッチャー首相が誕生するなど、新保守主義の時代が到来します。

コーエン　サッチャーが首相になったのは一九七九年で、レーガンが大統領選で勝利したのが一九八〇年ですね。すなわち、五月革命からわずか十年ほどで保守的な反革命が起きた。驚くべきは、六〇年代に左派運動が起きたのとまったく同じ国で、反革命の動きが急速に進んだことです。

八〇年代の初期にはすでに保守的な反動が起きていました。それは経済的反動と文化的反動に分けられます。前者は、七〇年代後半から経済成長に陰りが見え始め、繁栄も飽和状態になり、ポスト物質主義思考が始まったこと、後者は、六〇年代の若者のリベラルな考え方が受け入れられなくなったことが背景にあります。

アメリカでは、多くのブルーカラー労働者がレーガン運動に参加しました。皆が豊かになり、新しい社会の形を考え始める余裕が生まれた。結果、経済的反動と文化的反動が同時に表出したことで、保守的な革命となったのです。

これはいうなれば自由放任主義革命であり、現在の世界に格差をもたらした元凶です。企業内に生まれていた連帯感は消え、市場間競争がますます過酷になった。こうした格差の拡大は、新左派の台頭をもたらす可能性もありました。トマ・ピケティがいうところの、社会主義的な体制に逆戻りする可能性もあったのです。

ところが、そうはならなかった。振り子は左に戻ることはなく、逆に極右のレベルまで右に向かい続けました。レーガン革命やサッチャー革命は、ブルーカラーの労働者階級に大きな恩恵をもたらすことができなかった。そして、そうした階級の人びとが、レーガンやサッチャーが過激主義を生み出す手助けをしてしまったことになる。

アメリカで二〇〇九年ごろから、オバマ政権の「大きな政府」路線に反対してティーパーティ運動が起きたのも、八〇年代よりもさらに保守的な価値観が求められたからでしょう。

さらに現在の工業社会、あるいはポスト工業社会で顕在化しているのは、昔はそうでなかったのに、いまは社会からつまはじきにされてしまっている人びとによる動きです。社会参加できないからこそ、経済的成功の階段を転がり落ちてしまっている。

そうした中流・下位中流層の人びとが、社会とのつながりを感じなくなったといって社会全体に怒りの炎を燃やしている。極右の政治家に投票するのは、間違いなくそうした経済的成功の下層にいる人びとです。彼らはたんに移民や他国に反発しているのではなく、同じ社会を生きる自分たち以外の層の人間と闘っています。闘う相手は時に、自分の同僚や家族でもあるのです。

――ポピュリスト的指導者が生まれる背景には、そうした負の感情があるのでしょうか。

コーエン　フランスのマリーヌ・ルペン（国民連合党首）、ブレグジット（イギリスのＥＵ離脱）の誕生もそれで説明できます。経済活動の中心地である大都市から取りこぼされ、とりわけエリート層から見捨てられた人びと。だから彼らはエリートを嫌い、左派には寄りません。左の人たちは気候変動といった環境問題ばかりを気にかけており、あまりにも世界的な価値に重きを置いているように思えるからです。彼らにとっては、自分の住む地域の環境が守られればそれでいいのです。

一九五〇～六〇年代の労働者階級には、自分たちを守ってくれる、自分たちが力ある存在だと自信を与えてくれる、大きな労働組合がありました。しかし、いまはその構造が解体されてしまった。ごく簡単にいうと、彼らは自らを庇護する存在が弱まったことで、別の拠り所を求めたのです。

極右と極左が団結すればフランス国家を揺るがす事態に

――二〇一八年からフランスで巻き起こった反政府活動の「黄色いベスト運動」は、一九六〇～七〇年代の運動と何が異なるのでしょうか。

コーエン まったく正反対です。六八年の五月革命は、世界が繁栄していた真っただ中に起こりました。当時の問題意識は、すでに多くの富をもっているのにどれだけ働く必要があるのか、ということだった。すなわち、ポスト物質主義社会の希求、締め付けの厳しい社会に対する反旗です。

一方で昨今の「黄色いベスト運動」は、経済的地盤を失いつつあると感じている社会の隅から表出しています。そこからは「もっと繁栄を」という叫びが聞こえてきます。既存の秩序があまりにも緩くなった社会から出てきたうねりです。ですから二つの運動は、ほとんど左右対称といってもいいほど違うものです。

――エマニュエル・マクロン大統領は既成政党によらない「第三の道」をめざしましたが、政権への反発は「反エスタブリッシュメント」と結び付いているようにみえます。

コーエン そのとおりです。ポピュリスト・ムーブメントを理解する最も単純な方法は、いまあなたが言った「反エスタブリッシュメント」への認識です。この体制を嫌う勢力は、左派からも右派からも出てきます。従来の左派も右派も中道から離れて、極端な方向に振れてしまった。

こうしてイデオロギーの左右が両極に寄ると、穏健派が力を合わせて、分極化の力を真ん中に集中させる方法を見出す場合があります。皮肉なことに、それが起きたのはいまのところ世界中でフランスだけです。

――なぜフランスで、中道のマクロンが勝ったのでしょうか。

コーエン　一つは、従来の右派と左派が同時に消えてなくなったからです。ニコラ・サルコジを筆頭とした右派は衰退し、フランソワ・オランドを代表とする左派も国民の支持を得られず、オランドは再選出馬を断念せざるをえなかった。第二十三代大統領のサルコジと第二十四代のオランドが続けて倒れたことで、右でも左でもない、どこか別の場所から別の誰かを迎える可能性が生まれた。そこにマクロンが現れ、中道の支配権を握ったのです。

ところがマクロンも、政権を担うと左右からの「反エスタブリッシュメント」の攻撃に晒(さら)された。その怒りこそが、政府の年金改革に抗議する「黄色いベスト運動」に表れているわけです。極右と極左は、考えこそ正反対ですが、「政府や体制、つまりエスタブリッシュメントへの憎悪」をもっている点は共通しています。

現在フランスは、非常に憂慮すべき局面にある。なぜなら極右と極左は、移民対策から所得の再分配、EU政策に至るまでまったく方針が異なるにもかかわらず、二〇二二年の次期大統領選でマクロンという両派共通の敵に打ち勝つべく、手を取り合うことができるかどうかを模索しているからです。「敵の敵は味方」が現実のものになっているわけです。

もし極右と極左が団結して「反エスタブリッシュメント」が主力になるなら、次期大統領選でのマクロン大統領の勢力はいまよりもさらに弱まり、フランス国家を揺るがす事態になるでしょう。実際そうなるかはわかりませんが、その恐れはあります。

――マリーヌ・ルペンは前回、大統領選挙の決選投票でマクロンに敗れました。二〇二二年の選挙ではルペン流のポピュリズムが巻き返しを図るということですか。

コーエン もし彼女が、マクロンに反対している左右両派の力をうまく集約することができれば、挽回できると思います。

消費者のデータの収集過程は民主的ではない

――ポピュリズムを語るうえでは、移民問題がよく俎上(そじょう)に載せられます。経済的に見て、移民受け入れは得策だと思いますか。

コーエン 経済的にも、そして政治的にも、移民問題は二の次だと思います。マリーヌ・

ルペンに投票した人の政策志向を調べると、反移民であることは間違いありません。しかし彼らに移民のせいで経済的な不安を抱えるようになったかと尋ねると、そこまでの関連性はない。

すなわち、反移民感情は経済的な理由にはそれほど影響を受けていないといえる。分裂した社会を生きていると、移民や外国人だけではなく、同性愛者など自分と違う立場の人間も恐れがちになります。移民は、この分裂した社会のなかでもっともわかりやすい問題の一つとして表象しているだけです。

――以前からあなたは、現代テクノロジーの発達から恩恵を受けるのは一部の人たちであり、むしろ格差を生むと述べていますね。しかし人類はコロナ禍を経て、デジタル化の時代から後戻りできなくなったのではないですか。

コーエン たしかに我々は、古い世界を復活させることはできない。それは不可逆なものです。二十世紀に文化が衰退したように、かつての産業は死に絶えました。一九六〇年代のブルーカラー労働者層が置かれていたような職場環境で仕事をしろといわれて、いま受け入れる人がいるとは思えません。

我々はいま、新世界に入りつつあります。ただその新世界は、六〇年代に必要不可欠だった工場の組み立てラインの代わりに、コンピュータが不可欠な時代になったということにすぎません。現在は、大学、会社、病院、どんなところへ行っても多くの人がコンピュータに向かって仕事をしています。それが我々の新しい組立ラインなのです。六〇年代のブルーカラー労働者が組立ラインに張り付いて汗を流していたように、いま我々はコンピュータに張り付いている。

仕事のプロセスも、六〇年代とまるで同じです。つまり、生産者側からみても消費者側からみても、人間性が奪われている。生産過程はすべてコンピュータに管理されているし、ビッグデータ・システムの登場で消費者を含むすべてのものが非物質化されようとしている。我々の存在はタブレットの背後にとどまり、バーチャル世界とソーシャル・ネットワークに生きることになる。それが、我々が足を踏み入れようとしている新世界です。

これから向こう何十年かは、リモートの状態で人間を治療できるか、教育できるか、レジャーで気分を晴らすことができるか、ということが大きな課題になるでしょう。六〇年代の労働者たちは、日中は工場で働き夜はテレビを見て過ごしていた。現代人は、日中はコンピユータの前で働き、夜はタブレットを見て過ごす。新世界に入っても、六〇年代とほぼ同じことをやっているにすぎません。実際、違うのはそれが第二次産業か第三次産業かくらいでしょう。

――『ホモ・デジタリスの時代』で述べられているアメリカのGAFA（グーグル、アップル、フェイスブック、アマゾン）だけではなく、中国のIT大手企業群BATH（バイドゥ、アリババ、テンセント、ファーウェイ）の台頭も、世界経済に大きな影響を及ぼしています。今後は両者の経済圏による覇権争いになるのか、どう展望していますか。

コーエン　それはまさしく、現在の最大のコンテキスト（状況）です。月をめざしてアメリカとソ連が競争していたのと同様に、現在はアメリカと中国がデータを求めて争っています。消費者に関するデータをできるだけ収集することが、新しい経済の核になる。しかしその過程は、基本的に民主的ではありません。

ハーバード・ビジネス・スクール名誉教授のショシャナ・ズボフ氏は著書"The Age of Surveillance Capitalism（監視資本主義の時代）"で、ビッグデータ収集の非民主性を指摘しています。消費者に最適なサービスを提供する名目でＧＡＦＡはあらゆる情報を集めていますが、そこに人間に対するリスペクトやプライバシーはほとんどありません。

冷戦時代は、旧ソ連がアメリカに敗北するのは明白でした。旧ソ連の中央集権的計画経済では、アメリカの分散型経済には勝てなかったのです。しかしいまの米中対立では、社会体制として中国にハンデがあるようには見えない。むしろ中国のほうが、アメリカよりもアドバンテージをもっているかもしれません。中国の全体主義的なアプローチのほうが、民主主義的価値観よりもいわば効率よくデータを利用することができるかもしれないからです。

ＳＮＳの経営者はそのマイナス面を熟知している

――『ホモ・デジタリスの時代』で触れられているように、ＳＮＳを利用する時間が長いほど幸福感が損なわれる、との研究結果は興味深いですね。これからは若い人のみならず、あらゆる世代でＳＮＳに接する人が増えるでしょう。我々はこのツールといかに向き合うべきでしょうか。

コーエン　まず、中毒をなくす努力をしなければなりません。我々がSNSを使うのは、コミュニケーションとしての魅力があるからではなく、中毒になっているからです。メッセージが一通来ないだけで心がざわつき、いったい周りで何が起きているのか、コンピュータが壊れたのかなどと不安になります。

この感情をFOMO（フォーモ）といいます。「Fear Of Missing Out」の略で、「取り残されることへの不安」という病的な状態です。SNSを展開する企業は、FOMOに付け込んだビジネスによって大儲けしています。一方でSNSの経営者はそのマイナス面を熟知しているため、自分の子どもにはSNSを使わせないといいます。テクノロジーは昔でいう煙草のようなもので、社会全体がテクノロジー依存になっている。何かしらの規制が必要です。

これは文化の問題でもあります。つまり、誰かと直接話しているときにはその相手を尊重して、スマートフォンばかりを触っていてはいけない。教室に入るときは、スマートフォンはポケットにしまっておく。あるいは技術的に、特定の会議室や教室にいるときはメッセージを受信できないようにするべきかもしれない。公共の場で喫煙を禁止するのと同じことです。

このように何らかの対策をすべきです。公共政策によって行なう必要もあります。GAF

AやBATHといった一握りの企業にデータを独占させたくはないでしょう。データは公益のため、全員で共有するべきです。

人間がAIに命令される世界は起こりうる

――テクノロジーがどれだけ発達しても、人間でなければできないことがあるはずです。それは何でしょうか。

コーエン　「ディープラーニング（深層学習）の生みの親」のひとりとして知られ、フェイスブックの主任AI科学者であるヤン・ルカンによると、AIにはコモンセンス（常識、良識）が欠如しています。たとえば大きな深い穴の近くを車で走っているとき、そこに落ちれば危険であると人間は無意識のうちに理解しています。ところがAIは、実際に穴に落ちて粉々に壊れてみないと、その危険性がわからない。

AIは、経験則を活かすことには非常に長(た)けています。経験則を活かすというのは思考法の一つで、データを大量に収集し、その膨大なデータから何らかの意味を見出す作業です。

しかしAIは、自ら行なっていることを理論化する方法をもちえない。世界の理論を理解する感覚、世界観がないのです。少なくともいまのところは……。ですからAIにとって、人間が何のために何を求めているのかを理解することは非常に重要です。

一方でAIは、専門に特化することに長けています。囲碁をプレーすることができるAIは、冷蔵庫を開けることができない。しかし人間はその二つができるうえ、世界の理論を生み出すという抽象的な能力をも備えています。行動規範や社会のルールを作ることができます。機械には、それを学習して繰り返すことしかできません。

――人間は結果に至る過程の意味を理解するけれど、AIはプロセスをすっ飛ばしてしまう。

コーエン　コモンセンスの概念は、矛盾する目的をいかに処理するかというときにも重要になってきます。たとえば人に優しくすることと、その人に物を売る行為は往々にして矛盾します。この難しい行為を機械がしようとすると――経済学の実験で結果が出ているのですが――ひどく強引に物を売りつけるか、物は売れないかもしれないけれどすごく優しくなるかのどちらかに分かれます。矛盾する二つの物事をうまく両立させて利益を得るのは、非常に難しい行為です。経済学でいうところの「マルチタスク問題」ですね。

元来、人間にはそれがわかっています。ここまで強引になってはいけない、という線引きをわきまえている。中にはわきまえていない人もいますが、そういう人は社会的にすぐのけ者にされます。誰かに命令を下すときも、高圧的になりすぎると相手からの信用を失ってしまうとたいていの人はわかっている。これは人間にとって欠かせないコモンセンスの一種だといっていい。

ですから、人間（の存在価値）が消えてなくなることはないでしょう。ただ、ＡＩのようなテクノロジーを、我々の人間性を保ちながら利用する方法は学ばなければなりません。人間がＡＩに命令される世界は、容易に想像できます。パスワードを入力せよ、間違っている、アクセス不可、あなたはもう社会保障制度を使えません――のような、『ブラック・ミラー』（イギリスのＴＶドラマ）シリーズのごとき世界は本当に起こりうるのです。人間がＡＩを怒らせ、ＡＩが人を怒らせる様子が思い描けるでしょう。そうではない理性ある世界では、対立状況をうまく両立させられるように、人間が介入しなければなりません。

――あなたが唱える、デジタル社会における真の経済成長とは何でしょうか。

コーエン　医師や教育者、弁護士など現代世界の仕事の労働集約度（資本ではなく人間の労働力に頼る割合）を低くすることです。専門職の生産性を高める必要がある。たとえデジタル化が進展しても、我々は人間の医師、教師、弁護士と直接話したいと思うでしょう。人間のほうが、込み入った事情も注意深く取り扱うことができますから。しかしその準備段階では、ＡＩのアルゴリズムが役割を果たす場合があると思います。問題は、どこまではＡＩが行ない、どの部分を人間が担うかに思いを致すことです。

Chapter 6

移民は有史以来、最大の複雑な問題

『西洋の自死』著者が訴える欧州の現状と日本への警句

欧州は「一つの国」ではないので、理解するのは難しいと思っている人は多いが、『ヨーロッパの奇妙な死』(邦訳タイトルは『西洋の自死』)を上梓(じょうし)したダグラス・マレー氏は、このインタビューでかなりわかりやすく説明してくれた。

とりわけ複雑な移民問題は平易に説明しようとすると、かえって誤解されるリスクがある。社会学とか文化人類学というような、一つの学問ジャンルから語るのは危険な問題といえよう。ブレグジット(イギリスのEU離脱)も移民問題が絡んでいるとされるが、また然(しか)りである。イギリス人であるマレー氏の的を射た説明で、問題の本質がクリアになるのではないか。

Douglas Murray

ダグラス・マレー

ジャーナリスト

1979年生まれ。新進気鋭の英国人ジャーナリスト。英国の代表的な雑誌『スペクテーター』のアソシエート・エディター。『サンデー・タイムズ』紙や『ウォール・ストリート・ジャーナル』紙へも寄稿多数。英国議会や欧州議会、ホワイトハウスでも講演を行なった実績がある。著書(邦訳)『西洋の自死』(東洋経済新報社)は英国で10万部を超えるベストセラーとなり、世界20カ国以上で翻訳されている。

欧州は移民たちの「ホテル」のようになってしまった

――ベストセラーとなった著書"The Strange Death of Europe"（『ヨーロッパの奇妙な死』）の日本語のタイトルは『西洋の自死』（東洋経済新報社）です。「奇妙な死」と「自死」では、少しニュアンスが異なりますね。

マレー　「奇妙な死」は"The Strange Death of Liberal England"という有名な本のタイトルをもじったものです。二十世紀初期におけるイギリス自由党の衰退について書かれていて、それに応答するつもりで著しました。私が意味する「ヨーロッパの死」は「自死」ほど明確な意図があるわけではなく、ただ「奇妙」としか言い表せないのです。百年前は予期していなかったことが起きている、という含意もあります。

――本書では、欧州が大量の移民・難民を受け入れたことに警鐘を鳴らしていますが、移民政策の最も深刻な問題は何でしょうか。

マレー　移民を受け入れることはもちろん恩恵をもたらしますが、とりわけヨーロッパの問題点というのは、その恩恵がいつとるに足らないものになり、いつマイナス面がプラス面を上回るのかを欧州諸国が理解していないことです。

たしかに移民の労働力により、ＧＤＰ（国内総生産）が増加するなどの側面はあります。しかし、そうした財政面のプラスの恩恵を受けるのはほとんど移民自身であって、社会全体には行き渡らない。移民が入ってくると、現地労働者の賃金は下がる傾向にあるなどの理由からです。

ただ私の見方では、移民政策の主な問題点は財政面ではなく、文化面にあります。「あなたの国は、世界中から希望者を誰でも受け入れて住まわせるような場所なんですか？」と問いかけたい。われわれ欧州は、意図してそんな場所になったのではないはずです。イギリスの元チーフ・ラビ（ユダヤ教の聖職者）であるジョナサン・サックス卿の言葉を借りるなら、欧州は居心地のいい住まいではなく、「ホテル」のようになってしまいました。誰もが気軽に立ち寄り、好きなように振る舞う場所ということです。

――アメリカは移民を受け入れているからこそ、繁栄しているといわれています。それは経済面のプラスのみを見ているのでしょうか。

マレー　いいえ、アメリカにはもともと「さまざまな国から次々にやってきて歩みを進めた移民によってつくられた国」であるという然るべき理由があります。ですから欧州、それに日本やアフリカ諸国とは事情が異なります。

欧州は建国当時のアメリカと異なり、非常に明確で活気があり、力強く多様な文化がすでに存在している。もちろんアメリカが、移民が来るまで完全なる文化不毛地帯だったとはいいませんが、欧州の移民政策をアメリカと同じ文脈で語ることはできないと思います。

――移民政策を決めるのは、それに賛同する政治家ですね。どんな目的からでしょうか。

マレー　労働不足を埋めるという、短期的なプラス面に飛びついたのが始まりです。たとえば、主にトルコから移民を受け入れることが有効であると判断したドイツのように、戦後のヨーロッパは移民受け入れにより、国々を再興しようとしていました。ところが当然、移民の受け入れはたんに短期的なイシューでは収まりません。移民はその国に残って住み続けるからです。

ちなみに誤解のないように強調しておきますが、私は移住する個人を責めているわけではありません。より快適な生活を手に入れ、自分の家族を養いたい。そう思うのは自然な感情でしょう。だからこそ、政治家も短期的な解決策に飛びつくのです。彼らは自らの短期的成果のために長期的な問題を先延ばしにしています。

——長期的な視野で政策を考える政治家はいなかったのでしょうか。

マレー 皆無に等しい、といわざるをえません。長期的視野で物事を見るのはそれだけ難しいのです。一九五〇年代に、良かれ悪しかれ、いまのように移民であふれる社会を誰が予想したでしょうか。

——欧州のエリートは帝国主義を推し進めた「罪悪感」から、戦後は多文化主義やリベラリズムをとった、と本書で述べられています。あなたは、このような「罪悪感」を抱いていますか？

マレー　恐らくないでしょうね。私自身は何も罪悪感を抱くようなことをしていませんから。でも、その問題は非常に興味深いことです。というのも先祖代々、罪悪感を抱くような流れにいったん乗ると、本当に危険な域に突入してしまうからです。現在の欧州はその典型でしょう。

私が罪悪感をもたないのは、人は自分自身が経験していない苦しみに対して「許す（許さない）」という行為はできないと思うからです。同様に、実際に罪を犯していない人に対して謝罪を求めることもできない。この微妙な線引きは、我々の世代で失われてしまいました。欧州の帝国主義に後ろめたさを感じる世代は、リベラリズムをとったというよりも、むしろとらざるをえなかったのだと思います。

移住した国に感謝するか、怒りをもつか

――ヨーロッパの移民というと、日本人はとりわけイスラム系を思い浮かべるでしょう。

しかし、一括りに移民といっても、多様な人種が存在します。イスラム系、東欧系、アジア系の違いについて、あなたは何か考えをもっていますか？

マレー　いいところを突きましたね。この移民問題で指摘されると最も痛い、重要な問いの一つです。というのも私は、移民問題では基本的に次の三要素が重要であると常日頃述べているからです。

一つ目は受け入れるスピード、二つ目は受け入れる人数、三つ目は彼らのアイデンティティです。スピードと人数については、昔と違っていまの政治家は議論できていますが、移民の出身国・地域のようなアイデンティティについては、進んで取り上げる土壌がまったくできていません。というのも、アイデンティティについて議論を始めると、非常に見苦しいことになるからです。我々はその問題を俎上に載せず、移民における違いについて見て見ぬふりをしてきましたが、それは大きな間違いです。

もし一〇〇万人の日本人がイギリスに移住すれば、イギリス文化が間違いなく変化することは、誰でもわかるはずです。良し悪しは別として、我々の文化は日本寄りになるでしょう。一〇〇万人のイギリス人がスペインへ行っても、同じことです。人が大量に移動してくると、元の雰囲気や言語、食べ物や不動産価格まで、ありとあらゆるものが変わる。

でも、そのことに触れるとあっという間にみっともない議論に発展するので、誰もが見て見ぬふりをしてきたのでしょう。しかし私は、この難題についてもっと議論がなされるべきだったと遺憾に思っています。

たとえば、バングラデシュとパキスタンでは、不正投票が横行しています。彼らの国では、ここイギリスのように無記名投票という制度がそこまで尊重されていないのです。そのため、バングラデシュとパキスタンから大量に移民を受け入れているイギリスでも、昨今、不正投票が急増しています。でも、このことについて言及した人がいるかというと、皆無に等しい。

時々俎上に載せられますが、そこまで重要視されない。これを野放しにしておくと、そのうちイギリス中部ロザラムで起きた少女集団性的暴行事件のような、抜け出せないほどの深刻な窮地に陥ってしまいます。

――あなたの考えでは、良い移民と悪い移民がいる、ということですか。

マレー　もちろんです。その違いは複雑で、良い面と悪い面を持ち合わせていることもあります。はっきり区別することは非常に難しいですが、あえて単純化していえば、自分が移住できたのはその資格と運があったからだと感じ、移住した国に感謝の気持ちをもって社会に順応するか、怒りをもつか、です。

後者は、移住先の国に借りがあるだとか、その国が自分や祖先をだましたのだと信じ込んで、社会に怒りを抱いている。ちなみに「French integration（移民がフランスの社会に溶け込むこと）」が悲惨な状況にある理由の一つは、北アフリカからの移民のほとんどが、旧宗主国であるフランスのことをよく思っていないからでしょう。

――移民問題に、欧州・イスラム間の具体的な「文明の衝突」の側面があるとすれば、双方は別の文化圏で生活を送るべきでしょうか。

マレー　送るべきというか、現実に移民らは自ら進んで現地住民とは別々に暮らしていますね。このような人種や文化による隔離は、政治的取り組みなどを通じて人類が一貫して避けようと努力してきたにもかかわらずです。

政治的取り組みの一例として注目すべきなのが、シンガポールです。シンガポールでは、移民が固まって特定の地域が貧民街化するのを回避するために、圧政的な介入が行なわれました。しかし、たいていの国では、そのような介入は不可能に等しい。そして、ほとんどはいわずとも、多くの人びとは、自分と同じような人たちと生活をしたいと思っています。

文化の多様化が極端に進むと、私自身も含め、たいていの人はそれまでと比べると居心地の悪さを感じるようになる。繰り返しになりますが、多くの人は自分と似た人たちの隣で暮らしたいと思っているからです。でも、そんな人びとの間を強制的に引き裂くことはできない。だから貧民街が生まれるのです。

イギリスにも貧民街がありますが、フランスほどではない。フランスのバンリューのような低所得者層の住む郊外は、ヨーロッパでもっとも深刻な状況にあるといえます。

イギリスとEUは「馬が合わない」

――二〇二〇年一月末にブレグジット(イギリスのEU離脱)が実現しました。イギリスがEUにとどまるのは、無理だったのでしょうか。

マレー　イギリスとＥＵの「馬が合わない」という感覚は、私もずっと抱いてきました。とくに一九九三年のマーストリヒト条約（欧州連合条約）以降です。欧州がより密接な連合体になりたいのはいいが、イギリスには向かないことが明確になったときでした。ブレグジット支持者の第一の目的は、イギリスの主権を取り戻し、我々がどのように統治されるかを自ら決定するためでしょう。ただそのなかで、移民政策が最上位の懸案事項であったことは疑いの余地がありません。真偽のほどはさておき、イギリスがＥＵにとどまった場合、国内の移民政策において主導権を握れなくなるだろうという考えがあったのです。

とはいえ、あえて最近の出来事でいえば、ドイツのメルケル首相が二〇一五年に一〇〇万人以上の難民を受け入れたことは、イギリス人がすでにもっていた複雑な思いを際立たせた側面があると思います。

――イギリス人はＥＵに対して長年、不信感を抱いてきた。イギリスの現場に身を置くあなたは、その動揺を日々感じるのでしょうね。

マレー　移民問題は財政や社会保障、外交などすべての政策に影響します。おそらく有史以来、最大ともいえるほどのとんでもなく複雑な問題です。二〇一四年にリークされたイギリス国防省の報告書によれば、イギリスには国内の社会問題が原因で、もはや軍事的に関与できない国が多数あるといいます。

たとえば、起きてはならないことですが、インドとパキスタンのあいだで戦争が起きたとしましょう。たとえ一方が無抵抗の相手を不当に攻撃していたとしても、イギリスは武力介入ができない。

――どちらか一方を助けることで、イギリス国内に住むインド・パキスタン移民間での抗争に発展する可能性などが考えられるためですね。

マレー　日本では、対外政策における不関与が当たり前に認識されていますね。財政面の手っ取り早い解決策として移民に飛びついたとき、将来的にどのような負担が待っているのか。日本人の皆さんにはよく考えてもらいたいと思います。

超国家的なボーダーレス世界への反動

――欧州では、移民排斥を謳うポピュリストが台頭していますが、彼らの主張は的を射ていますか？

マレー　まず言いたいのは、ポピュリストという言葉を使うことに反対であることです。ごく最近まではポピュリズムという言葉を使うと、エリートと一般大衆のギャップを強調するというように、何を意味しているのかの共通認識がありました。

しかし近ごろは、使われすぎていて、言葉の意味が正確に定義されていません。いまはたんに人気のあるもの、それも特定の政治的エリート層が眉をひそめるようなものが、ポピュリズムと呼ばれているような気がします。

そのうえでお話すると、たしかにエリート層に対する反動はあると思います。一九九〇年代に根づき、二〇一六年ごろまで見られた特定の世界観に反対する見方です。その期間、リベラル民主主義の動向は一極集中していました。簡単にいうと、超国家的な政府を掲げるボーダーレス世界に向かっていたのです。これこそが未来だ、わからないのか？　とでもいわんばかりに、（欧州各国の）各州が進んで自治権を放棄していた。そうした動向に対する反動が存在したことは明らかです。

――EUはまさに、寛容な移民政策によって統合をめざした共同体です。その方針が失敗に終わったとすると、EUはこれからどこに向かうのですか？

マレー　それは非常にいい質問です。EUの未来は彼ら自身が決めることですが、現状は誤ったパラダイムに陥っている。端的にいうと、難民希望者を合法的に締め出したいが、どうしたらいいのかわからない、というパラダイムに陥っているのです。道徳の問題ですね。

たとえば、イタリアで二〇一九年九月まで副首相兼内相を務めたマッテオ・サルヴィーニは、NGO（非政府組織）が救出した難民船の入港を拒否して、起訴されています。もし有罪になれば懲役十五年ですが、（イタリアは難民船が押し寄せるEUの玄関口ですから致し方ないところがあり）、有罪判決が出るなんて信じられません。

また二〇〇三年にEU規定として採択されたダブリン規定では、「難民の認定審査は、難民が最初に到着したEU加盟国で行なうこと」と決められています。しかし、その規定は何度も見直しが行なわれ、すでに廃止も決められている。既定内容が現状とかけ離れているからです。

本来であれば、移民の到着国は域外との国境に面するギリシャやイタリアに集中するはずですが、現状は到着国での審査をすり抜けて、ドイツなどより豊かな欧州北部へ向かう事態になっています。

もう一つの例を挙げましょう。ダブリン規定見直し案の一つとして、難民申請の希望者をEU加盟国で分担して受け入れることが決まりました。なかでもポルトガルは、割り当ての倍近くの難民を受け入れると表明しました。しかし、私が実際ポルトガルを訪れて目にした現状はというと、移民たちはポルトガルには留まらず、結局はドイツなどのより豊かな国へ行ってしまうのです。それでもポルトガルは、移民受け入れの対価としてEUから補助金を受け取っている。

私はいつもヨーロッパの政治家や政策決定者に言うのですが、政策は「われわれは誰を必要としているか」「ここにいる権利があるのは誰で、ないのは誰か」という原則から始めるべきでしょう。欧州は決して、欧州を自分の故郷にしたいと願う移住希望者全員を受け入れることはできません。単純に、そんなことは無理なんです。EUはその現実を受け入れなければなりません。

日本は長期的な影響を軽視せず、慎重になれ

——じつは、日本は世界四番目の「移民受け入れ大国」であり、「保守」と呼ばれる安倍政権下で二〇一九年四月、改正出入国管理法を施行しました。日本も「自死」に向かうのでしょうか。

マレー　非常に複雑なイシューです。日本は閉じた国ではなく、すでに多くの外国人労働者を抱えています。私の家族のなかにも、日本で働いたことがある人たちがいます。ただ、彼らは日本国籍は取得しませんでした。

ここで重要なのは、日本が移民たちに何を期待し、何を期待しないかをはっきりさせることです。たとえばここ欧州では、移民が現地の文化になじむことは期待していない。代わりに期待するのは、最終的に欧州を去ることです。自著でも指摘したのですが、欧州の移民一

世代目は、移住国にやって来ても、最終的には自国に戻るという前提だったのです。

ですから日本でも、国の政策が何であろうと、移民に対して何を求めるかを明確にして、長期的な影響を考える必要があります。最終的に自国に戻るのか、日本国民になるのか、そのとき文化的に同化するのかどうかなど、多くの問いが噴出するのです。

――急速な人口減少と少子高齢化に直面する日本において、移民の受け入れは処方箋の一つとされますが、それは短期的な側面にすぎない、とのお話がありました。ほかにどのようなアイデアが考えられますか。

マレー その質問に答えられるほど日本経済に熟知しているわけではありませんが、短期的処置と長期的処置があるとはいえます。国によって、どんな種類の労働力が欠けているかは異なります。

クウェートなどの湾岸諸国では、特殊技能の必要ない労働力が不足しており、一方で医師や看護師といった特殊技能が必要な労働力が不足している国もある。イギリスの場合は、両方欠けており、それを移民受け入れによって同時に満たそうとしたのですが、結果として、高度な技能を要する労働力が国内で十分に育成されないといった最悪の事態を招きました。ただ日本の場合は、特殊技能があまり必要ない労働力が不足しているようですから、イギリスの例は当てはまらないでしょう。

私から日本へのアドバイスは、"Be careful with it."(慎重になれ)ということです。移民を受け入れるな、と言っているのではありません。長期的な影響を軽視して、短期的視点から解決しようとする誘惑に負けないように、ということです。

移民問題は、国会議員や首相の一任期を超えて多世代にわたる問題です。ヨーロッパの一部では、第一世代よりも二世代目のほうが移住先に同化しようとしない「逆同化」が起きています。だから私は、移民については「慎重に」と言っているのです。

左派の主張に対し、ブレーキの役目を果たすのが保守派

――イギリスの政治思想家で「保守思想の父」と称されるエドマンド・バークは「我々は社会を根底から覆す権利まではもちえない」という警句を残しました。これは現代のわれわれが肝に銘じるべき教訓といえるかもしれません。

マレー　バークの主張は、社会そのものは信じられないほど繊細な有機体である、ということです。私自身も、これは極端に簡略化した表現になってしまいますが、左派がチャレンジを生み出し、右派がそれを適度に受け入れるか、それとも受け入れないかを決定して、社会が動くと考えています。左派の荒々しいアクセル（主張と要求）が暴走しないように、右派が社会のブレーキとしての役目を果たす。欧州では少なくともフランス革命以来、その対話が続いています。

――つまり、現代でも右派によるブレーキは有効である、ということですね。

マレー　そうです。いま簡略化して述べたのと同じダイナミクスは、イギリスでも効果的に進行しています。社会の理想像に対し、まったく異なった見方が併存しています。平等と多様性こそが我々の行動規範だと断言する人がいる一方で、社会の反対側ではまったく別の見方をしているわけです。バークならこの見方を、物事がいままでどおりの形をとどめて劇的な変化を遂げないように、気が遠くなるほどの年月、熟考を重ねたプロセスとでも言うでしょうか。変化をまったく受け入れないわけではなく、ただ自分たちの社会に劇的な変化が起きてほしくないのです。

両派の間の緊張状態は、いまだ続いています。うまくすれば、多大な実益をもたらすことができるはずですが、いかんせん保守派の性質として、公にアピールするのが下手なんですよね。守ることよりも、要求するほうがつねに簡単ですから。これまで通りがいいよと言うと、つまらないことはやめろと言われてしまいます。

――示唆に富む至言を多く残したバークですが、彼の言葉のなかでとくに気に入っているものはありますか。

マレー たくさんありますが、"To make us love our country, our country ought to be lovely."（自国を愛させるには、自国は「lovely」な国でなければならない）ですね。左派のほうから湧き上がってくることが多い、激しい怒りという感情は、人はおのずと美しいものや「lovely」なものを愛するという法則を忘れています。「lovely」というのは、抽象的な概念ではありません。我々のそばで、感覚に、目に、耳に訴える美しさということです。

Chapter 7

無秩序な陰謀論がなぜ拡散されるのか

AIによる監視は解決にならない

「Qアノン」が吹聴するような陰謀論が広がる風潮は、減衰するどころか、コロナ禍に突入してからさらに勢いをつけている。ただ、サミュエル・ウーリー氏が述べるように、アメリカ社会の奥底にはつねに反知性主義が流れていることを知っていると、この現象はことさら驚くべきことではないだろう。

ウーリー氏はフェイスブック、ツイッターなどソーシャルメディアの裏に通暁(つうぎょう)しているが、我々が知らない間に操作され、その餌食になっていることは冷静になるとわかるはずだ。その罠にはまらないように批判的思考を学ぶ重要性を説く、氏の正鵠(せいこく)を射た卓見をここにお届けする。

Samuel Woolley

サミュエル・ウーリー

研究者兼著述家

AIや政治、ソーシャルメディアを専門とする研究者兼著述家。テキサス大学オースティン校のジャーナリズム・スクール助教およびメディア・エンゲージメント・センターのプログラムディレクターを務める。著書（邦訳）に『操作される現実』（白揚社）など。

アメリカ政治を揺るがす「Qアノン」の正体

――二〇二〇年の大統領選挙でトランプに投票した米国人約七五〇〇万人の中には、いまもバイデンの正当性を認めない人たちがいるといわれます。トランプ、バイデンはどちらがソーシャル・メディアをうまく使ったと評価しますか。

ウーリー　それはapples and oranges（まったく違う）のようなもので、比べられません。トランプはソーシャル・メディアをbully pulpit（権力の座）、要は公職の権威を利用して、個人の考えを説いて広める道具や自己宣伝の機会にしていました。また嘘をつく場、選挙のプロセスのみならず自分の対戦相手についてディスインフォメーション（事実ではないとわかったうえで流す情報）を拡散する場としても使っていました。

一方でバイデンは、ソーシャル・メディアのフォロワーがトランプと比べるとはるかに少ない。だから単純に比較はできないのですが、バイデンはトランプのように非公式なソーシャル・メディアをまるで自分の公式マウスピース（代弁者）のようには使っていません。トランプに関していえば、彼のツイッターアカウント（現在は永久凍結されている）を見にいけば、しっかり管理している人間がいないので彼の動向や頭の中が何もかも筒抜けでしたが、バイデンはソーシャル・メディアに対してもっと昔ながらのアプローチをとっていたように思えます。

トランプのソーシャル・メディアの使い方は、彼について多くのことを物語っていました。トランプが選挙前に醸し出していた語調は、深い怒りとフラストレーション、心配に満ちていた。彼は当時怯えていたのです。

――最近、アメリカ政治を揺るがしているといわれる組織「Qアノン」についてお聞きしたい。「Qアノン」の陰謀論に対して支持を表明し、人種差別的な言動でも知られる共和党員のマージョリー・テイラー・グリーンは、二〇二〇年十一月の選挙で下院議員の席を勝ち取りました。これだけでも日本人にはショッキングなことでした。「Qアノン」は集団ですか？　彼らの目的は何ですか？

ウーリー　よくある陰謀論と同じで、アメリカ政府に内部情報に通じた「Q」という人物がいるとする陰謀論、またその信奉者たちを指します。まさに現実の錯覚というほかありません。少し考えればわかることですが、何の実証にも事実にも基づいておらず、憶測以外の何物でもありませんから。

――さまざまな陰謀論を唱えているようですが、どのようなものなのでしょうか。

ウーリー　この世界には「ディープ・ステート」（闇の国）というものがあり、まったくの自己利益のために国民をコントロールする「大きな政府」を築こうとしている民主党員によって運営されているという。真に恐るべきことに「児童虐待と性的搾取（さくしゅ）を行なっている国際的なネットワークが存在し、民主党の政治家たちはその一員だ」とか、「民主党員は人喰い人種だ」などと主張しています。二〇一六年の大統領選期間中に広まったピザゲート（民主党のヒラリー・クリントンに関する陰謀論）など、多くの陰謀論と深いかかわりがあります。

これらの陰謀論は民主党の中傷、そしてアメリカ社会の奥底ですでにくすぶっていた猜疑（さいぎ）の火種を燃え上がらせる目的で流されたとみられます。アメリカは多くの人の間で二極化しており、また社会の奥底には反知性主義がつねに流れていますが、インターネットがそのような陰謀論を拡散するのに加担した。

非常に有害な考え方ですが、最初は社会の末端から出てきたものです。それがいまや、私の大学時代の友人でさえも「Qアノン」に関連する内容にハッシュタグをつけて、共有するほど主流になってきました。彼女はとても頭がいい人で、結婚して子どももいますが、そういう人が「Qアノン」に惹かれているのです。

少しずつ陰謀論を信じ込ませていく手法

――そもそも、そうした荒唐無稽な陰謀論がなぜ広まるのでしょうか。

ウーリー「Qアノン」の裏に誰がいるのか知りませんが、彼らは幅広い分野に当てはまりそうなコンテンツと論説を考えて使います。個人的には、理にかなった戦略だと思います。

たとえば彼らは"Save the Children"（子どもを救え）というハッシュタグを使うのですが、ほとんどの人はそれを見たとき、イギリスの非営利団体「セーブ・ザ・チルドレン」を思い浮かべる。でも「Qアノン」のコンテンツを拡散する人は、往々にして児童誘拐など、誰もが問題にすべきと信じるような大問題を種にして、それをより一般化するように仕向けます。

毒に対する耐性を少しずつ増していくようなものです。一回に少量の毒を飲み、それを続けると、最終的にその毒はあなたにとって毒ではなくなる。耐性ができるからです。「Qアノン」のやり方も同じようなものです。少しずつ陰謀論を信じ込ませていく。

――とても計算された手法を用いているわけですね。

ウーリー アメリカでは、制度や教育や医学、ジャーナリズムに対する深い不信感が、ここ数年でさらに高まっています。トランプが大統領になる前からそうした傾向は一つの要素としてありましたが、彼が大統領に就任すると、ジャーナリズムをひどく嫌い、学者たちは本当はバカであるとか「ディープ・ステート」の代弁者であると述べることが、公式に〝承認〟されたのです。

――「Qアノン」は表面上、真っ当なテーマにハッシュタグをつけ、拡散しているとのことですが、それをアメリカ政府が規制することは可能でしょうか。

ウーリー　それは非常に難しい。アメリカ政府、ひいてはアメリカという国が、「言論の自由」に心酔しているからです。それは正しくもあり、問題でもある。政府は、とりわけオンライン空間の規制には腰が重いように見えます。テレビ、ラジオなどには規制をかけていますが、インターネットの規制には渋ってきた。

自著でも述べましたが、私にはこう思えてなりません。つまり、アメリカ政府はオンライン空間をきちんと理解していないのです。その大きさ、複雑さにおじけづいている。アメリカ政府がオンライン空間を規制することができるとしたら、具体的な危害が生じる場合だと思います。

――たとえば、どんなときでしょうか。

ウーリー　「Qアノン」は反ワクチンや反医療といったディスインフォメーションを拡散

していますが、それで実害を受ける人の数は計り知れません。こういう有害な情報拡散への対策を講じるべきでしょう。保護対象グループ（protected groups）への攻撃、たとえば黒人（アフリカ系アメリカ人）やユダヤ人、ムスリムを攻撃する人種差別的内容とか、暴力を駆り立てるような内容にも同じことがいえます。

――かなり特定的なケースの場合ですね。

ウーリー　そうです。でなければ規制できません。ナチスを経験したドイツでは言論規制に積極的ですが、アメリカは違いますから。

ボットによる自動攻撃の仕掛け

――二〇一六年の英国民投票や米大統領選では、ロシア政府が関与したとされるボット（自動のプログラム）が、投票行動に影響を与えたと、本書（『操作される現実』白揚社）で述べられています。そのボットは、技術的にはそれほど複雑ではないとありますが、なぜ多くの人がその単純な仕掛けに影響されてしまうのか。

ウーリー　理由はいくつかあります。まず多くの場合、ボットは人間をターゲットにしていません。情報をキュレートしているツイッターやフェイスブックのアルゴリズムをターゲットにして、それらソーシャル・メディアに情報を再生させることを目的としています。たとえば、何万ものアカウントがある出来事について、ツイートするように仕掛ける。ニュースメディアはツイッターで何が人気なのかをつねにチェックしているので、「これはいま流行(はや)っているに違いない」と思って、記事にすることがよくあります。このように、生身の人間が影響を受けるまでにワンステップを経ることが多いのです。

別の状況では、この単純なボットが人の行動を変える効果があります。ジャーナリストや女性、あるいは特定のコミュニティの人を、有害な情報やひどく侮辱するような内容で攻撃し、怖がらせます。攻撃された人はボットの仕業だろうと思うかもしれませんが、それでもボットの後ろには必ず人間がいるものです。だから、この攻撃の裏にはもっと恐ろしく、邪悪で悪辣(あくらつ)なことが隠されているのではないだろうかと思ってしまうのです。

——現在、フェイスブックやツイッターは、いわゆる「フェイクニュース」といわれる情報について、どのような対応をとっているのですか。

ウーリー　ツイッターは、フェイスブックよりもはるかに執拗（しつよう）なアプローチをとっています。これは、思うにツイッターのオンライン空間での立ち位置が理由でしょう。両者はまったく異なるプラットフォームですから。ツイッターは、たとえば（インタビュー実施日から数えて）この三日間でトランプのツイートの七五％近くに偽情報、もしくは誤解を招く情報という警告ラベルを表示しました。これは大きなステップです。トランプが大統領に就任してからの四年間、ツイッターは彼の発言をほとんど野放しにしてきましたから。

ツイッターのような企業でも、アメリカ政府や政策の立案者と同じように具体的な危害が加えられそうな場合にのみ、対策を講じようと考えている。言論を過度に規制するのを恐れているからです。言論規制という仕事から逃れるために、企業らは「言論規制なんてことがあってはならない」というアメリカ市民の恐怖心を食い物にしている。それは、企業自身も自覚していると思います。

言論規制は、企業の収益にも影響します。ツイッターのユーザー数は世界で何億人規模、フェイスブックも同じくらいだといわれていますが、それほどのユーザー数、広告クリック数、ページビュー数、その他諸々の数字でできあがった「フェイク」な構造、この構造全体からソーシャルメディア企業は甘い汁を吸っているわけです。フェイスブックCEOのマーク・ザッカーバーグは、再三にわたって言論の自由重視のアプローチをとり、言論の自由を奪うくらいなら、過ちを犯してもいいとさえ言っています。

とはいえ、二社とも偽情報と思われる投稿の拡散に対し、以前よりバリアを高くしつつあります。フェイスブックが静かに偽情報の拡散に歯止めをかけようとしているのに対し、ツイッターはもっと公然たる行動をとっています。以前はほぼ何もしていませんでしたから、それと比べるとはるかに有効です。

ただそれは非常に断片的で、私のような専門家でさえ、システマティックに何が起きているかを理解するのは難しい。対策に統一感がないのです。

フェイスブックはあまりに巨大になりすぎた

――最近、日本のフェイスブックは、Watch（ウォッチ）という人気動画を見られるサービスを始めました。ただ内容を見ると、微妙に性的であるとか、政治的ニュースが多くて驚きます。

ウーリー　フェイスブックはもっと自主規制をすべきだと思います。政府による規制もあって当然だと思いますが、具体的な対策を打ち出すことができるのか、いささか懸念があります。フェイスブックはあまりにも巨大になりすぎましたから。資金が潤沢にあり、有害コンテンツ対策用の洗練されたＡＩや機械学習（Machine Learning）を使えるフェイスブックでさえ、すべての物事を拾い切れていない。規模が大きすぎるために、多くの物事を取りこぼしています。モンスターをつくってしまい、コントロールする方法がわからない。フランケンシュタインと同じです。

――フェイスブックのＣＥＯのザッカーバーグは、これからの十年でＡＩが有害コンテンツを排除するようになると述べています。しかし、ＡＩのアルゴリズムをつくるのは人間ですから、既存の人間社会の偏見が反映されてしまう恐れもある。あなたはどう思いますか。

ウーリー　まさにそのとおりです。いかなるＡＩ、アルゴリズムも人間の意図、人間の信条、人間の価値観でつくられます。機械学習でさえも、そのアルゴリズムは人間の意図でつくられている。これはヘイトスピーチであるとか、これは悪意がある、これは面白い――そうやって人間が日々タグ付けする過程から機械が学習するわけですから。さらに人間がそのアルゴリズムと直接かかわるうちに、アルゴリズムがエコシステムを理解する方法も変わり続けていきます。

ですから、「AIが問題の救世主になる」というザッカーバーグの主張は問題が多い。この問題に対処するのに、人は正しいシステムを構築するという前提に立っているからです。この問題に対するザッカーバーグの主張を我々が耳にするのは国会答弁の場が多いため、そういった政治的な物言いは差し引いて考えると、彼の主張の本質は「この問題は重大すぎて人間だけの手には負えない。フェイスブックは有害コンテンツを監視・削除するコンテンツモデレーターを十分に雇うことができないから、AIの助けを借りなければならない」ということだと思います。

AIが解決策になると簡単に言ってのけることに、私は非常に懐疑的です。ザッカーバーグが述べる多くのことは、私の耳には空虚に聞こえます。それは私が学者で、もっと詳細が知りたいからかもしれません。実際にAIがどのように使われるのか、知りたい。この問題には、生身の人間と機械の両方が大量にかかわる必要があるだろうというのが私の見方です。我々が取り掛かろうとしている問題は、たんにテクニカルなものではなく、ソーシャルなものでもあるからです。その二つを組み合わせて対処しつづけないといけないでしょう。

――ザッカーバーグは、AIが救世主になると言えば、その場をしのげると思っているのかもしれません。

ウーリー　そのとおりです。新聞や世に出ているレポートの多くは、ＡＩを神秘的な、魔法の力のように仕立て上げているからです。ほとんどの人はＡＩと聞くと、ＳＦとかターミネーターのようなイメージを思い浮かべます。数学の問題としてＡＩを捉えることはしません。

現在の平均的ＡＩの知能レベルは、おそらく人間の五歳児くらいです。ただ、五歳児でも理解できるような皮肉やコメディ、文脈のニュアンスは理解できない。シンギュラリティ（技術的特異点。ＡＩが人間の能力を超えること）からはほど遠いレベルです。

ませんか。

人権の土台を弱体化してしまうデジタル技術

――顔認証技術の進化によって、政府に批判的な人物には、絶えず監視がつきまとう時代がくるかもしれません。中国ではすでに起きているようですが、他の国も追随するかもしれません。

ウーリー　そうです。ウイグル族への迫害がまさにそうですね。われわれはすでに、ジョージ・オーウェルの小説『1984年』で描かれた世界（未来の全体主義社会）にいるようです。トルコやフィリピンには、エルドアン大統領やドゥテルテ大統領のような独裁者がいる。ジャーナリストを追跡して攻撃するためにソーシャル・メディアが使われています。テクノロジーが安価で手軽になり、反対意見を述べる者を追跡する手段として使われるようになるのは時間の問題です。

独裁国だけではありません。ボルソナーロ大統領のブラジル、モディ首相のインドなど、いわゆる〝民主主義国家〟といわれている国でもその方向に動いています。

——VR（仮想現実）、自動音声技術によって、より政治的なエフェクト（効果）のある選挙技術が発展するかもしれません。テクノロジーを政治分野に使わないなど、何らかの規制が必要な時期がきていると思います。

ウーリー　確かにそういったツールは、とりわけ政治的な目的で人を操作するのに使われることが多いと思います。特定の投票システムや選挙プロセスについて人びとがもっている考えを根底から崩そうとする、あるいは人権・人格の土台を弱体化させようとしているからです。

これらの問題は大半が（政治的な領域、言い換えれば）民間企業の領域外で生じていますが、民間の領域内でも、ものすごい数の監視と集約データの操作が行なわれています。ですから、政治的な情報操作を禁止する、または政治的な場で規制をかけるだけでは不十分だと私は思います。

とくにアメリカでは、官と民の境界がますます曖昧（あいまい）になっています。さらに、アイデア市場（marketplace of ideas）という感覚がある。ジョン・スチュアート・ミルが提唱した考えですが、要は誰もがアイデアを持ち寄れる公開市場では、最も優れたアイデアがつねにトップに上がってくるという認識です。知の弱肉強食とでもいうような。

しかし、インターネットはアイデアの市場原理が通用しない場所です。ですからあなたが言われたとおり、規制やガードがなければなりません。アメリカがこの点で世界をリードすることはないでしょう。この難しい仕事をするのは、おそらくヨーロッパ諸国か日本のような国だと思います。

――ただ、これらの技術は、ほとんどがアメリカ発といってよい。それを世界に広げた責任があるという意味では、アメリカこそが規制の模範になるべきでは？

ウーリー　一〇〇％賛同します。イノベーションとテクノロジー創造の主な原動力になっているのは、アメリカのシリコンバレーです。ここまでずっとフェイスブックとツイッターの話をしてきましたが、グーグルやその傘下のユーチューブのようなプロダクトにも同じことが言え、これらはすべてアメリカに拠点を置く企業です。世界中のソーシャル・メディアのマーケットシェアは、ほとんどアメリカの企業が占めている。ですから、たしかに彼らが責任をもつべきでしょう。アメリカ政府も腰を上げなければならない。世界各国がアメリカやこれらのテック企業を糾弾（きゅうだん）しても、私は全面的に支援します。

――本書で、「テクノロジーは民主主義と人権の価値を踏まえているべきだ」と述べていますが、それには大賛成です。どのようなテクノロジーも「諸刃（もろは）の剣（つるぎ）」の面があります。ソーシャル・メディアは民主主義を世界に広めるのではなく、むしろ一種の権威主義を促進してしまったという事実は否定できません。

ウーリー　そうですね。ソーシャル・メディアが最初につくられたとき、誰もが民主的なツールになると考えていました。それが権威主義的なツールになっている。

ここで二点、述べたいことがあります。一つ目は、intentionality（何を意図しているか）が重要だということです。たいていこういうツールをつくるときは、倫理や悪用される可能性についてては問われない。デジタルな「公共空間」を生み出すアイデアがあったとつくり手は言っていましたが、私から見れば、そんなものは戯言（ざれごと）です。本当は自分たちを必然的にビリオネア（億万長者）にするツールなのに、見栄えをよくして、民主主義にとって有益になるかのように見せているだけです。

より明確な意図に沿い、プロセスにおいて抑制と均衡を保ち、資金調達からインキュベーション（創業支援）、ＩＰＯ（新規上場）に至るまで、すべてのレベルで監視を強化すれば、こういう企業はよりよい仕事をする可能性が出てきます。

二つ目は、人権と倫理をテクノロジーに織り込むためには、シリコンバレーのカルチャーとイノベーションのカルチャーについて再考しなければならないという点です。テクノロジーに携わる人間の多くは白人男性で、そのなかにいる「天才」を、そして彼らが思い描くイノベーションと創造の理想形を、最優先させてきたという経緯があります。

これでは、支配的イデオロギーをひたすら拡大しているだけです。私は、有色人種によってつくられるツールが、女性のような考え方をするツールが、どのようなものになるのかを知りたい。ツールをつくる際に、つくり手はそのような倫理的な問いを自己に投げかけたのか、何らかの意図に基づいて設計したのかも知りたい。

もちろん、テクノロジーは諸刃の剣で、どんなものでも悪用される可能性がつねにあります。しかし、少し注意を払うことでテクノロジーの悪影響のいくばくかは和らげられるはずです。

批判的思考で自分の身を武装せよ

——我々は、広く世に警告を与えることができる、あなたのような人をもっと必要としています。

ウーリー　それは本当にありがたい言葉です。本書がベストセラーになり、すべての人がテクノロジーの悪影響について意識するようになれば、そこに力が生まれます。使い古された慣用句ですが、よく言うでしょう。「殺菌には太陽光がいちばんだ」（アメリカの最高裁判事であったルイス・ブランダイスの言葉）と。光を当てれば当てるほど、嘘偽りの力は弱まるのです。

——最後の質問です。実在しない人の顔写真を無限に生成できるサイトがありますが、情報技術の発展によって、フェイクと現実の違いを認識することがさらに難しくなってしまう。実際に存在しない人を使って相手を攻撃することができます。テクノロジーの悪用について若者を含め、一般人にもっと意識してもらうにはどんな教育が必要でしょうか。

ウーリー　その解決法には短期的なものと長期的なものがあると思います。短期的には、いますぐマイナス面を知らせることです。ジャーナリスト、思想家、テレビ番組など、特に子どもが触れるコンテンツのすべてを使って、この問題を知らせることです。教育分野における国際的な取り組みも必要です。

注意喚起すべきは、子どもだけではありません。六十五歳以上の、いわゆるデジタル・ネイティブではない人びとにも強く働きかける必要があります。私の祖母は八十八歳ですが、彼女のような高齢者で、それでもインターネットを毎日使っている人は特にそうです。高齢者も、迷惑メールのリンクをクリックするだけで餌食（えじき）になる可能性は他の人と同じです。

長期的には、とくにアメリカではそうですが国際的にも、情報リテラシーについて精巧なプラットフォームを構築しなければなりません。メディアリテラシーの概念を応用し、もっと頑強にしたデジタルリテラシー用のものです。

私が大学で教えている学生の多くは、critical thinking（批判的思考）について大学に入るまで一度も教わっていない。もし教わっているとしても、それは批判的思考とは呼ばれていない。思考訓練のようなものは受けていても、批判的思考が一体どんなもので、なぜ「これはどこかおかしい」という疑問をもつことによって自分の身を武装すべきなのかは、わかっていないのです。

我々は、現状に甘んじるようになってしまった。（二度の世界大戦や経済恐慌といった）カタストロフィ（大惨事）を幾度も世界中で経験してきたので、（いまのような悲劇的状況に）慣れてしまったのだと思います。

同時に、日本もそうかもしれませんが、アメリカもあまりに（経済的・技術的に）成功しすぎてしまった。でも、いまこそ自分たちの教育やプラットフォームを見直すときです。アメリカでは子どもたちにただ学力テストの練習をさせるだけで、創造的に考えさせるような訓練をしません。この状況は、変えなければなりません。イギリスのオックスフォード大学で研究しているときも、イギリスの公立学校で同じような現状を見ました。

Chapter 8

ポピュリストは人びとにコントロール感を与える

認知神経科学からみる相手の心を操る法

人の心を動かすのは簡単ではない。事実やデータを示しても一筋縄ではいかない。ではどうしたらいいのか。それをわかりやすく説いているのが、ターリ・シャーロット氏だ。「確証バイアス」から逃れられる人はほとんどいないが、そういうバイアスがあることを知っているだけでも、役立つだろう。

ポピュリストが人の感情を操るのが上手いのは、まさしくその方法を知っているからだとシャーロット氏は言う。詳細については、インタビューを読んでいただくとして、認知神経科学に基づいた知見は、日常のありとあらゆる面で有用であるのは間違いない。

Tali Sharot

ターリ・シャーロット

認知神経科学者

ユニバーシティ・カレッジ・ロンドン教授（認知神経科学）、同大学「アフェクテイブ・ブレイン・ラボ」所長。意思決定、感情、影響の研究に関する論文を『ネイチャー』『サイエンス』『ネイチャー・ニューロサイエンス』『サイコロジカル・サイエンス』など多数の学術誌に発表。認知神経科学者になる前は金融業界で数年間働き、イスラエル空軍で兵役も務めた。現在は、夫と子どもたちと共にロンドンとボストンを行き来する生活を送っている。著書（邦訳）に『脳は楽観的に考える』（柏書房）、『事実はなぜ人の意見を変えられないのか』（白揚社）など。

人の心を動かすのはストーリーと個人的な経験

――前著 "The Optimism Bias"（邦訳『脳は楽観的に考える』柏書房）は世界的に話題を呼びました。そこから "The Influential Mind"（邦訳『事実はなぜ人の意見を変えられないのか』白揚社）を上梓しましたが、二冊の共通点は何ですか？

シャーロット　どちらの本も、私の研究分野である認知神経科学と心理学、そして行動経済学を組み合わせた研究について述べています。いずれも人間がもつバイアスに焦点を当てています。

The Optimism Biasでは「楽観的な思い違い」という一種類のバイアスに特化し、それが人間の意思決定にどのように影響するか述べています。

The Influential Mindでは、「確証バイアス（仮説や信念を検証する際、それを支持する情報ばかりを集め、反証する情報を集めようとしない傾向のこと）」や「社会的バイアス」など、数多くのバイアスについて説明しています。それらのバイアスを理解できれば、より円滑なコミユニケーションを図り、他人の行動を変え、ともすれば自分自身の行動すら変えるなど、バイアスといい関係を築くことができるという内容です。"The Optimism Bias"がやや限定的なのに対し、"The Influential Mind"はもっと包括的で応用範囲が広く、プライベートや仕事にも応用できます。

――"The Influential Mind"を執筆した理由は、あなた個人が事実や証拠をもって人を説得しようとして、失敗したことがあるからでしょうか。

シャーロット　前著の"The Optimism Bias"を出版したとき、本の内容について話す機会がたくさんありました。そのとき、すぐに私の説明を信じてくれた人もいれば、それほど信じてくれない人もいた。両者の違いは、彼ら自身の経験にあったのです。私の調査したデータや結果を自分事として捉えられる人はすぐに信じ、捉えられない人は信じてくれませんでした。以前から同じような確証があった人や、調査結果に一致する人物に心当たりがあるという人は信じてくれましたし、その反対――たとえば、自分の叔母は大変な悲観主義者だから、私は「楽観性バイアス」の存在は信じない、という人もいましたね。

人の心を動かすのはストーリーと個人的な経験です。どれほどリサーチをしたのかとか、どれだけの人数をリサーチしたのかはさほど重要ではなく、その人が前から信じていたことや実際に経験したことに関係しているかどうかが鍵です。グラフやデータで示しても、人の行動にはあまり影響がありません。

エビデンスを提示されても初めの考えを変えるのは難しい

――まさしく"The Influential Mind"は、邦題のとおり「事実はなぜ人の意見を変えられないのか」ということが趣旨ですね。なぜ、そうなのか。昨今は、データ分析や統計学の手法が一般にも浸透しているように思えるのですが。

シャーロット 一つ理由として挙げられるのは、人間は自分がもっている知識を基にしてエビデンスを評価するからです。これは実は、望ましい方法なんです。自らの考えに合わないエビデンスが出てくるたびに考えを変えていると、めちゃくちゃなことになりますからね。だから自分の意見にそわない事実を突きつけられても、考えを変えないほうが合理的かつ効率的なのです。

脳の働きからみても筋が通ります。エビデンスを与えられた際、事前にもっている意見や考えと比較して真偽を評価する「ベイズ推定」的な考えとも関連します。それは同時に、もともと抱いていた考えが間違っていたとき、何らかのエビデンスを提示されたとしても初めの考えを変えるのは難しいということでもあります。まず人が確信をもってその考えを抱いているとき、そして頑(かたく)なに何かを信じたいと思っているときには、とくにそうなります。

――自分で正しいと確信していれば、なおさらそうですね。

シャーロット もう一つ重要なのは、人は自分が信じたい事象を裏付ける証拠のほうをより信じる傾向があることです。たとえば、二〇一六年の米大統領選の前に行なわれた調査があります。その調査では「大統領選挙で誰に勝ってほしいか」という質問と「誰が勝つと思うか」という二種類の質問をしました。調査に参加した人の半数が「ドナルド・トランプに勝ってほしい」と思い、残りの半数が「ヒラリー・クリントンに勝ってほしい」と思っていました。しかし二番目の質問には、参加者のほとんどが「ヒラリーが勝つと思う」と回答しました。

　次にリサーチャーは、あるエビデンスを調査参加者に提供しました。トランプ勝利を示唆する世論調査です。その後「誰が勝つと思うか」と再び聞くと、「トランプに勝ってほしい」と思っていた人は「トランプが勝つだろう」と考えを変えました。彼らには世論調査を信じる動機があったので、考えを変えるのは簡単だったのです。

　一方、ヒラリーの支持者は世論調査を信じようとせず、考えを変えることもほぼありませんでした。つまり何か信じたい事柄がある場合、それを示唆するエビデンスを受け入れる可能性は高まり、信じたくない理由があればエビデンスを提示されても無視する可能性がより高くなるということです。

　これまでの議論をまとめると、重要になるのは次の二点です。一つは、人がすでにもっている考えです。何事にも先立つ考えであり、人はこの既存の考えに照らし合わせてエビデンスを見極めます。

　もう一つは、何かを信じたいという動機です。動機があるときにその信じたいことを示唆する何らかのエビデンスがあれば、そのエビデンスを考慮に入れる確率が高くなります。だからトランプが勝つと思わなかった人でも、勝ってほしいと思っていれば、世論調査でトランプの勝利が示唆されたときに「トランプが勝つだろう」と考えを変えるのです。

数学力がある人のほうがバイアスにかかりやすい？

――そもそも、よりバイアスにかかりやすい人の特徴はあるのでしょうか。

シャーロット　それについては確かな調査はなされていませんが、論争にはなっています。分析力・数学の能力がある人のほうが、自分に都合のいい情報しか見ない「確証バイアス」がかかりやすく、勝手にデータを捻(ね)じ曲げる傾向があるのではないかという論争です。

イエール大学のダン・カハン氏が行なった素晴らしい研究があります。その研究では、数学の能力がある人のほうが「確証バイアス」にかかりやすいことがわかっています。彼はまず一〇〇〇人のアメリカ人に数学のテストを行ない、その結果に基づいて、被験者を数学の能力・分析力があるグループとそうではないグループに分けました。

次に、彼らにある資料を二揃い渡しました。一つは、肌の手入れをすることで吹き出物が改善するかどうかをみる資料です。すなわち、データを分析して効果の程度を見極めるテストです。大方の予想通り、そのテストでは数学の能力・分析力がある人のほうが、成績が良かった。

ところが、その次に銃規制法が犯罪を減らしているかどうかを見極めるテストをしたところ、数学の能力・分析力がある人のほうが、逆に成績が悪かったのです。なぜなら、銃規制法については皆あらかじめ強い信念を――賛否を問わず――もっていたからです。

一方で、ＭＩＴ（マサチューセッツ工科大学）のデイヴィッド・ランド氏が行なった研究では、分析能力が優れた人のほうがフェイクニュースを見極めることができると示されています。ただしこの結果は、「確証バイアス」と関連性があるかはわかりません。個人的には、ダン・カハン氏の研究結果を支持します。

――一般に、学歴が高い人のほうが多様なデータを収集するようにも思えます。バイアスと学歴との関係はどう考えられますか。

シャーロット　数学の能力・分析力がある人とバイアスとの関係はいま述べた通りです。この研究では学歴そのものとバイアスとの関係は検証されていませんが、数学の能力・分析力がある人ほどよい教育を受けているということは言えるでしょうね。

ツイッターは「インターネットの扁桃体」

――“The Influential Mind”で指摘されているように、事実よりも感情に訴えたほうが相手を説得できることがあるように思います。

シャーロット　感情がどういう役割を果たすかが重要です。感情は人の注意を集めやすいので、感情を伴う情報はより記憶に残りやすい。つまり、感情は人の記憶を強化するのです。とりわけ、エビデンスよりもストーリーを使って相手を説得しようとするときはそうですね。

相手の考えがあなたと異なるとき、エビデンスだけでは相手の考えを変えることが難しい。相手が特に何の考えももっていない場合はエビデンスだけでも十分ですが。そして、さらに強力なのはストーリーにエビデンスを盛り込むことです。

考えてもみてください。われわれ人類が何百万年にもわたって進化を続けてきたのは、データがあったからではないでしょう？　人類には、データも統計学もなかった。あったのは、周りの人とのかかわりです。狩りに行った家族に何が起きたのか、近所の人に何が起きたのかというように、人類は周りの人たちのストーリーから学んできました。図表やグラフといったデータ、統計学の手法が出てきたのは、人類の歴史からすればつい最近のことです。

もちろんそこからの学びもありますが、我々の本能はやはりストーリーから学ぶことです。ストーリーは感情を呼び起こし、我々の注意と記憶をより強化するのです。

――感情はそもそも、生来備わっているものですね。

シャーロット　感情そのものは、人類がもつ進化上最も古い特性の一つです。感情があるおかげで、われわれは生存することができます。感情は物事の善悪を教えてくれるからです。蛇やライオンを見ると、恐ろしくて逃げ出したくなりますよね？　「恐ろしい」という感情を抱くからだけではなく、その感情に（蛇やライオンに襲われて負傷する、命を落とすといった）実例やストーリーが伴うから逃げ出したくなるのです。そのようにして、人間は社会動物として学び続けてきたのです。

——トランプ大統領など、いわゆる「ポピュリスト」と呼ばれる人たちは、人の感情を巧みに操っていると言えるでしょうか。

シャーロット　（二〇一六年の大統領選挙の際）トランプ、あるいはトランプ陣営は、影響力の強い特性を多く突く手法を使いました。その手法とは、一つはストーリーと感情を使うこと。二つ目は、人にコントロール感を与えることです。彼があれほどの得票数を得た理由の一つは、自分の言いたいことがいままで通らなかった有権者に対して、トランプに投票することで何かが変わる感覚を与えたことです。現状を変えられるかもしれない、というコントロール感をトランプに投票した有権者は取り戻しました。

このコントロール感というのが、人に影響を与えるうえで非常に重要な特性なのです。われわれは誰かに影響を与えようとするとき、多くの場合、やり方を誤ります。あれをしろ、これを信じろと相手の主体性を制限し、不安を抱かせ、かえって相手を身構えさせてしまいます。

一方、相手にコントロール感を与えれば、その人は考えを変えやすくなります。この「感」が必須なんです。ベストな方法は、相手自身に物事を選ばせること。方向性は示してもいいですが、最終的に相手が自分で選択すると、その選択によりコミットしやすくなります。

たとえば、あなたがバケーションの行き先としてタイかギリシャで悩んでいて、仮にタイを選んだとしましょう。すると、選んだ瞬間からタイがより魅力的な選択肢に感じられ、逆にギリシャはそれほどよくないと思うようになります。自分で選んだからにはその選択によりコミットする作用が働きます。つまり、自分の選択を正当化するのです。

他の誰かに選択してもらったときには正当化は起きません。選択は自分で実際に行なわなければなりません。それはSNS（ソーシャル・ネットワーキング・サービス）でも同様です。ある投稿を見て気に入ったら、人は「いいね！」やリツイートをしますね。その自らの行動により、人は投稿に対してよりコミットする、つまり発言に責任をもつようになります。そして「いいね！」やリツイートをすることで、それ以前よりもさらに投稿の内容を信じるようになるのです。

――SNSは、事実よりも感情が先行する典型的なツールと言えるかもしれません。現在、トランプのツイッターは凍結されていますが、各国のリーダーはSNSを多く利用しています。人を魅了、説得する点において、SNSは有能なツールでしょうか。

シャーロット　著書でも少し触れましたが、私はツイッターを「インターネットの扁桃体」と呼んでいます。扁桃体は脳の中でも情動反応を処理する役割があります。人が社会生活を送るうえで非常に重要な部位で、反応がとても速い。ショート・メッセージのようなもので、情報をとてつもない速さで伝えます。それほど反応速度が速いのは人間の生存のためであり、また人間の感情を引き起こす作用もあります。ツイッターはまさに、そんな扁桃体のようなものだと思っています。

実際、人がツイッターを使っているときは、感情が高ぶっている状態にあることを示す研究があります。ソーシャル・メディアに関わっているとき、感情の興奮レベルは他のどんなことをするよりも劇的に高まるのです。

子どものやる気を格段に上げる方法

――感情に訴えて相手を説得する方法が"The Influential Mind"で述べられています。たとえば、相手に何かをさせたいなら「快楽」を与え、相手に何かをさせたくないなら「恐怖」を与えるのがよい、との理論は実践的です。

シャーロット　相手に何かしらの行動を起こさせたい場合、罰の恐怖を与えるよりも報酬を与えるほうがうまくいく、と私は確信しています。その理由は、「接近―回避型葛藤の原則（欲求の対象が同時に正と負の誘発性をもっている状態）」と呼ばれるものです。人生において何かいいこと――チョコレートであれ、愛情や昇進であれ――を得るには、たいていの場合、行動を起こさなければなりません。報酬を得られそうだという見込みがあるときは、中脳でゴー・シグナル（ゴー・サイン）が活性化されます。それが運動皮質に到達すると、人が行動する確率は高くなります。

一方で何か悪いこと――毒物や苦境、信用ならない人間、処罰などに遭遇する見込みがあるときは、何も行動を起こさないほうがいい場合が多い。悪いことを防ぐには、一歩身を引いて静観する必要があるのです。つねにそうだというわけではなく、たいていの場合はですが。

人間の脳は、悪いことを回避するには行動を抑えるべきだという環境のもとで発達してきました。ですから何か悪い見込みがあるとき、ゴー・シグナルは出されず、行動は抑制されます。もちろん現代人はこの本能を克服することができていますが、それでも（悪いことを察知したときの）人間の第一の反応は、この「何もしないこと」です。

たとえば、こんな調査をしたことがあります。被験者たちに、あるときは一ドルがほしければボタンを押すように言い、またあるときは一ドルを失いたくなかったらボタンを押すように言いました。すると、前者のときのほうが後者よりもボタンを押す速度がずっと速かった。一ドルを失う罰よりも、一ドルをもらう報酬のほうが人間の行動により深くつながっているからです。人を行動させるには、行動することでどんな報酬が得られるかを強調したほうがいいことがわかります。

もし誰かにジムに行ってほしければ、「ジムに行くと身体が引き締まりますよ」などとプラスのことを言ったほうが、「ジムに行かないと病気になりますよ」と言うよりも効果的だということです。

逆に、人に何かをしてほしくない場合は、恐怖を与えるほうがいい。人に内部情報を漏らさないように言う場合、「もし情報を漏らしたら罰せられる」と言ったほうがより効き目があります。

――いまあなたが説明した法則は、子育てにも役立ちそうですね。

シャーロット そうです。私は実際に二児の母としてこの方法を使っていました。息子と娘に部屋の片付けをさせたいときは「部屋を片付けなかったらお仕置きするわよ」ではなく、「部屋を片付けたら、散らかった物の山から好きなおもちゃが見つかるかもしれないわ」と言いました。子どもが宿題をやりたくないと言ったときには、「全部できたらチョコレートをあげる」と言えばすぐやりました。

その他の方法として、子どもたちにコントロール感を与えることも有効です。子どもは概して、何をいつ行なうかに対して発言権がないと感じています。ですから彼らに選択肢を与えると、往々にして多大な効果を発揮するのです。たとえばサラダを食べさせたかったら、サラダに入れる野菜を子どもに選ばせます。自分でつくらせてもいいでしょう。このように当事者性とコントロール感を高めることで、子どもたちのやる気は格段に上がります。

――そうしてご自身の調査結果を目の当たりにされてきたのですね。

シャーロット　まさに、いまも毎日のように目にしています。実は私のもとにインタビューにやってくるジャーナリストたちにもこの方法を勧めているのですが、「数週間試したらすごく役に立った」と報告を受けるんです。ある女性は、ティーンエイジャーの息子二人に「早く寝ないと次の日疲れちゃうよ」と言っていたのを「早く寝たら次の日は気分爽快、ガールフレンドにもハンサムだって言われるよ」と報酬を強調するようにしたところ、いつもよりずっと早く寝るようになったと言っていました。

金銭は必ずしも最善の報酬ではない

――二十一世紀になって以降、行動経済学の研究によるノーベル経済学賞受賞者が複数人出るなど、心理学の要素を含んだ研究が世界的に進んでいますね。

シャーロット　行動経済学は基本的に、経済学と心理学を合わせた学問です。伝統的な経済学では、人間は一〇〇%合理的なものであると仮定しますが、実際は間違いを犯すし、合理性以外の動機もあります。そこで、合理的には説明できない経済的行動を心理学によって理解しようとしたのが行動経済学です。

さらに私は、神経科学者として認知神経科学の観点からも研究を行なっています。人間の脳のシステム、それが活動する仕組みを知りたいからです。人間の行動を検証する際、さまざまな仮説を立ててそれを証明するのですが、あまりにも多くの実験と時間を要します。しかし「fMRI（磁気共鳴機能画像法＝MRI装置を使って脳活動を調べる方法）」を使えば、より早くそれらしい答えを得ることができます。

たとえば、なぜ人が「楽観性バイアス」をもっているのか理解しようと研究を進めた結果、人はネガティブな情報よりもポジティブな情報からのほうが物事を学びやすいことがわかりました。ただ、この働きがいつ起きるのか、という問題が残ります。

そこでfMRIをみると、人が情報を判断しているときに、脳がポジティブな情報のほうをよりエンコード（符号化）していることがわかります。それがわかると何がいいかというと、人間の行動に変化を生じさせたかったらエンコードが起こるよりも前、情報をまとめる段階で変化を加える必要があることもわかるからです。

基本的メカニズム、そして認知メカニズムを真に理解するためには、多くの場合、脳の働きをみることがたいへん有効です。物事がなぜ、どのようにして起きるかの手がかりが得られるからです。

つまり認知神経科学は、（脳の活動システムについての）問いに答えを出してくれる分野と言えます。科学雑誌の読者のような一般の人にはそこまで重要ではなく、研究の結果だけわかればいいのかもしれませんが、たとえばわれわれが発見した「人はネガティブな情報よりもポジティブな情報からのほうが多く学ぶ」という結果を別の研究に応用するつもりの研究者にとっては、その結果がいかに導かれたかという裏付けが重要になります。

ｆＭＲＩをみることで、いままで思いもよらなかった仮説を立てられることがありますし、脳ではなく人の行動だけをみていたときにはなかなか解明できなかったことができるようにもなります。ｆＭＲＩは多くの洞察をわれわれに与えてくれるのです。

――相手を動かす際の報酬は、金銭でもいいのでしょうか。

シャーロット　金銭も効果的です。たとえば人にジム通いや禁煙を強いる際、ジムに行くたび、禁煙が成功するたびに少額の金銭を与えるのは有効です。ただ、金銭は必ずしも最善の報酬ではないことが多くの研究でわかっています。

一例として、イスラエル系アメリカ人の行動経済学者、ダン・アリエリー氏がイスラエルの工場労働者たちを対象に行なった研究では、こんな結果が出ていたかと思います。アリエリー氏は工場労働者たちを三つのグループに分け、それぞれに違う指示を出しました。

一つ目のグループには「製品をいちばん多く作った人には一日の終わりにピザをあげます」と伝え、二つ目のグループにはピザではなく「上司・役員からお褒めのメールがあります」と、三つ目には「ボーナスが出ます」と伝えました。結果として、短期的にもっとも効果があったのはピザでした。長期的にもっとも効果があったのは上司からの好意的なフィードバック、つまり上司から個別にもらえるメール。そしてボーナスという金銭的な報酬は、効果がないわけではないのですが、その他二つほど有効ではありませんでした。

ちょっとした食べ物をもらえたり、誰かから軽くほめてもらえるといったことは、その場ですぐ体験できる報酬です。一方、金銭は即座に価値をもつものではなく、後で使うもの。ピザやほめ言葉と違って、中身を具体的に想像するのも難しいですからね。

Chapter 9

困難を乗り越えるハートフルネスの力

人の感情を無理やり変えるよりも、自分の行動や気持ちに集中すべき

「人生というのは、終わりのない喪失の連続にいつもどこかで苦しめられながら進んでいくもの」であるというスティーヴン・マーフィ重松氏の言葉は重い。彼は、すでに世界で広く行なわれているマインドフルネスを超えた「ハートフルネス」をスタンフォード大学で教えているが、それをとおして自分が何者であるかを知ることが重要だと説いている。

さらに、重松氏はこのインタビューで、希望をもつためにつねに心得ておくべき重要な叡智(えいち)について語る。人生を建物にたとえると、彼の言葉はまるでその基礎に当たるがごとく、重々しく響いてくるであろう。

Stephen Murphy-Shigematsu

スティーヴン・マーフィ重松

心理学者

スタンフォード大学ハートフルネス・ラボ創設者。同大学ライフワークス統合学習プログラムの共同創設者。日本で生まれ米国で育つ。ハーバード大学大学院で臨床心理学博士号を取得。1994年から東京大学留学生センター（現国際センター）、同大学大学院の教育学研究科助教授に。その後、米スタンフォード大学教育学部客員教授、医学部特任教授。現在は、医学部に新設された「Health and Human Performance」（健康と能力開発プログラム）で、教育イノベーションプログラムを開発している。アメリカのみならず、世界各国でハートフルネスにもとづくプログラムを提供する。著書（邦訳）に『ハートフルネス』（大和書房）など。

マインドフルネスの先にある「ハートフルネス」

――あなたは、米ハーバード大学大学院を卒業し、いまや世界中でマインドフルネスやハートフルネスの講義をしていますが、それまでに多くの苦難があったと語っています。人生において人が成功できるか否かは、生まれ育った環境によると思いますか？　あるいは誰しもに同じようにチャンスが与えられているのでしょうか。

重松　私は確かに恵まれた環境に生まれてきました。アメリカ人の父と日本人の母をもち、幼少時は日本で育ちました。終戦後の日米関係は良好とはいえない状況でしたが、それでも日本の家族は私たちを迎え入れ、愛情をたっぷり注いでくれた。その後、私たち家族はアメリカへ渡ります。父方の親族はアイルランドからの移民でしたが、日本人の血が入った我々を受け入れてくれました。

家族が私のことを心から信頼し、教育の力を信じていたのも恵まれていたと思います。一方で、一九五〇年代のアメリカは日本人への差別意識が強く残る時代でした。そのため母親からは「白人より努力し、つねに勝たないといけない」と鼓舞され、一生懸命に努力を重ねました。教育が将来の成功につながる実感があったので、そこまで努力を重ねることができたのだと思います。

進学に関していえば、うちは裕福な家庭ではなかったので、三人の兄弟はすべて州立大学に行くほかに選択肢はありませんでした。私がハーバード大学大学院に進学できたのは、奨学金を得ることができたからで、非常に運がよかったともいえます。しかし、教育の力を信じて努力したことは確かです。現在はスタンフォード大学で教鞭を執っていますが、ここに辿り着くまでにも相当の努力を重ねました。

――瞑想やヨガを推奨していますが、実践することでどのような効果が得られるのでしょうか。

重松　瞑想やヨガは、すべてマインドフルネスにつながります。実践することで自己の内面に集中でき、grounded な（地に足の着いた）状態になります。自分が何者であるかを深く知る手助けになるのです。

ヨガを行なうと、自分の体の中、ひいてはmindの中で何が起きているかをより意識するようになります。瞑想状態、つまり思考と感情により意識的になれる状態に入り、それが自分の感情や衝動をコントロールする助けになるのです。それは同時に、他人の気持ちを察する能力を養うことにもなる気がします。ゆえに、社会的関係を築く一助になるともいえます。

また瞑想やヨガにおいて、呼吸は何よりも重要なファクターです。精神や魂の意味をもつspirit（精神、魂）という単語は、ラテン語が語源でbreath（呼吸）という意味を示します。そこから見ても、呼吸は人間のもっとも基本的な要素であることがわかります。

——続いて、一般的にいわれるマインドフルネスと、あなたが説くハートフルネスの違いを教えてください。

重松　英語では、「mind」と「heart」は昔からずっと別のものとされています。mindは、脳、認知能力、合理的・ロジカルな思考をする機能に関係していて、heartは感情に起因している。よってマインドフルネスは、脳の認知機能に関連づけられることが大半だと思います。科学に結びつけられることも多いですし、巨大ビジネスやテクノロジーと密接なつながりがあるという意味で、ウェルビーイング（持続的幸福）の商業化に結びつけられることも多いです。マインドフルネス・ビジネスは莫大な利益を生み出していますから。

そんなマインドフルネスから切り離したいと思ったのが、ハートフルネスです。「念」という漢字に「心（heart）」の字が入っていることからもわかるように、heartには人間の心身全体という概念があるように思います。私がスタンフォード大学の講義で成し遂げようとしているのは、教育にheartを取り戻すことです。とくにスタンフォードのような高レベルの大学では、教育からheartとsoul（魂）が排除されてしまい、教育は脳の機能だけを使うものだと考えられている。でも我々は、感情からも、感情を豊かにするアートからも、数えきれないほどの物事を学びますよね。

人の気持ちを変えるよりも、自分の行動や気持ちに集中すべき

——困難や逆境が訪れたとき、乗り越えられる人と諦めてしまう人の差はどこにあるのでしょうか。

重松　人生には避けることのできない困難がある、という現実を直視する心構えができているか否かではないかと思います。現実を否定し、見て見ぬふりをするのは、最終的にはharmful（有害、ためにならない）になります。

多くの人は、自分はいままで鋼（はがね）の意志で絶え間ない努力を続けてきたのにどうしてこんな目に遭（あ）うのか、と嘆きますが、そういった人は同時に、忍耐力を身につける必要性も実感しています。つまり、現在のパンデミックのように、自分ではコントロールできない状況を受け入れる必要性を感じているのです。

私の授業を取る生徒のなかには、自分の病気や親の死、あるいは深刻なトラウマなど、誰からみても困難な経験をしてきた人たちがいます。彼らはハートフルネスの教育を受けることで、人生をよりよく生きる勇気が得られると感じているようです。一方で、大きな苦難に遭遇してこなかった者もいる。しかし彼らは、授業が進むにつれて、どんな人にでもいずれは困難が訪れる、と理解できるようになります。人生というのは、終わりのない喪失の連続にいつもどこかで苦しめられながら進んでいくものだからです。

スタンフォードに進むような優秀な学生でも、大学を卒業して社会に出ると、予期せぬあらゆる苦難を経験することが多い。ハートフルネスはそれに備えるための助けになったと話してくれる生徒が何人もいました。とくにこのパンデミックの真っただ中で、この価値を実感する人が増えているのは間違いないでしょう。

――著書『ハートフルネス』（大和書房）で、神学者のラインホルド・ニーバーの言葉「神よ、変えることのできないものを静穏（せいおん）に受け入れる力を与えてください。変えられるものを変える勇気を、そして、その両者を区別する賢さを与えてください」を引用しています。変えられないものと、変えられるものの区別をどうつければいいでしょうか。

重松　その違いを区別できる境地に達したとき、そうだとわかるために瞑想やヨガなどの実践が大切になるんでしょうね。そのためには自分が何者か、自分には何ができるのか、あるいは何ができないのかについて、絶えず感覚を研ぎ澄ましておく必要があると思います。そうして感度を高めていれば、自分の限界に達したときに「もうだめだ、いまは休まなければ。ずっとがんばってきたが、これはできない」と自然に感じることができます。

自己受容に必須な考え方は、ヴァルネラビリティ（開かれた弱さ）の感覚と謙虚さです。

最大限の努力を尽くし、きっと変えられると思ったことが実際には不可能だったとき、我々はその事実を受け入れなければなりませんが、このような「受容」はいま、「変化」することよりも重要になってきています。「できないことを認める」という行為は、つねに試練となる。そういった壁にぶつかったとき、やはりマインドフルネスの実践が助けになります。

――たとえば、人の気持ちは変えられるものに入るのでしょうか。

重松　いいえ、変えられないものだと考えたほうが幸せになれるでしょう。人の感情を無理やり変えるよりも、自分の行動や気持ちに集中すべきです。相手が恋人であろうと誰であろうと同じですが、「人の気持ちは変えられるもの」という勘違いがあるからこそ、それが思い通りにならないと不幸な気持ちが芽生える。これもたったいま述べた「受容」の一つですが、人の気持ちは変えられないという事実を受け入れ、それよりも自分の行動や態度を変えるために何ができるかを考えて、相手を変えたいという欲望を解き放ったほうがいいのです。

——日本は自殺率が高い国ですが、その理由について何か背景を洞察することはできませんか？

重松　ＢＬＭ（Black Lives Matter）のスローガンは“I can't breathe”（息ができない）でしたが、日本の多くの人は同じような感覚を抱いていると思います。日本は制限が多すぎて自由度が十分にない、真の自分を出してはいけないような社会です。選択肢もセカンドチャンスも、あまり与えられない。日本人が自由に関して抱いている感覚は、アメリカ社会でいう「息ができない」という意味になることが多いのではないかと思います。本当の自分を出せない、なりたい自分になれない、そういう選択肢が社会にないという感覚です。

日本では、物事を諦め、可能性を見出せないでいる人が若者の中にすらたくさんいます。日本の高校で仕事をしたことがありますが、そのとき私が高校生たちに見出してほしかったことの一つは、「人生の可能性」という感覚です。なんでもやればできる。努力し、かつ運がよければ夢はかなうという感覚。いまの日本でそういう感覚をもっている若者は、あまりいないように思います。

「感謝」の大切さは科学的に裏付けられる

――人生で本当にやりたいことを見つけられずに一生を過ごす人もいますが、あなたは天職を見つけたと思います。自分の宿命を見定めるための秘訣はありますか。

重松　私が日本企業の社長や役員に向けて行なっているトレーニングでは、まず互いに〝Who are you?（あなたは誰ですか）〟と問うことから始め、次に「自分がワクワクすることは何ですか」と聞きます。

そうすると、自分はどういった人物であり、何にワクワクするのかを意識できるようになる。そこで初めて人生の目的を考えるステージに進めます。言い換えれば、自分のアイデンティティやワクワクする感情をいかに仕事に結び付けることができるか、という視点をもつことで、本当にやりたいことが見つかっていくのです。

――宗教学者のデヴィッド・スタインドル＝ラストは、「いま感謝の潮流がやってきている」と述べていますが、「感謝の潮流」とはなんでしょうか。

重松　彼の言葉は、二、三年前から注目を集めるようになりました。それはやはり、近年科学を重視する傾向が出てきたためでしょう。著書などで述べてきたように、私はマインドフルネスからハートフルネスへ移行しつつありますが、それでもマインドフルネスのおかげで科学的調査が大量に行なわれるようになったことはよかったと思っています。

近年、大学でも「感謝」に関する科学的研究が多くなされるようになりました。「他人に施しをするのはよいことだ」とか「感謝するのはいいことだ」というのは、先人の知恵だったり、キリスト教や仏教の教えを聞いてみんなわかっていますが、それがエビデンスに基づいた研究結果によって裏付けられるのです。感謝の気持ちをもつことは、科学的にみてもウェルビーイングにプラスになるという研究結果が出ています。

現代社会では、多くの人が信仰あるいは宗教を手放しました。その代わりに、マインドフルネスやウェルビーイングといった科学が、新たな宗教になっているように思います。自分のウェルビーイングにとってメリットがあるから○○をしよう、という思考になっている。かつては哲学者や宗教学の教師、親、祖父母、年配者などが教えていたことを、宗教や年配者への敬意を失った人たちが、「自分のウェルビーイングにいいから○○しなさい」と主張している。それが「感謝の潮流」の一面でしょう。「個」が叫ばれる現代にぴったりの考えなのです。

――「感謝しなさい」と人に伝えたとしても、上辺(うわべ)だけの行動になってしまうことが往々にして発生します。「感謝する」という感覚を本当の意味で悟るとしたら、それはどういう心の状態でしょうか。

重松　これもマインドフルネスが抱える問題の一つですが、ポジティブ心理学という一大ムーブメントがありますね。ポジティブ心理学では時に工学、または認知科学的なアプローチに基づいて「感謝するには七つのステップがある」などと説きます。確かに理にはかなっていますが、人はそんな簡単に感謝できるようにはなりません。

私は「男はつらいよ」の寅さんが好きですが、彼には満男という甥っ子がいます。あるシーンで、満男が寅さんに「人間は何のために生きてるのかな？」と呟(つぶや)くと、寅さんは「生まれて来てよかったなぁという気持ちをもつためじゃないか」と返事をします。ここに一種の答えが隠されているように思います。

経験上、「感謝しなさい」と言っても、たいていの人は感謝できない理由を数えるほうが簡単です。そんなときは、「ただここにいられること、命を授かったことにも感謝できませんか」と尋ねるようにします。「もしお母さんがあなたを産んでいなかったら、あなたはここにはいなかったんですよ」と。このように、原点回帰してとにかく感謝の気持ちを経験することが往々にして必要ではないかと感じます。

親に虐待や育児放棄をされた経験がある人もいます。それでも、セラピストが母親にしてもらったこと、そしてあなたが母親にしてあげたこと、それだけに集中するよう働きかけると、相手を責める気持ちから徐々に感謝へと重点が変わっていきます。

また日本では、食事をするときに「いただきます」と言いますね。その言葉の意味を心から意識すれば、それはただ決まり文句を発するだけではない、感謝を表す行為になります。「お米をつくってくれた人たち、そして神様のおかげで自分はこのご飯が食べられる」という感謝の気持ちを具体的に実感できます。こういったある種の「儀式」のようなものを自分の生活に取り入れていくのも、「感謝しなさい」と言われてするのではない、自ら感謝の気持ちを見つけるための方法の一つだと思います。

「聴く」とは相手の目や心にも注意を向けること

――同様に「人の話を聴きなさい」という言葉は、多くの人が掛けられた機会があると思います。どういった状態であれば、相手に傾聴できているのでしょうか。

重松　スタンフォード大学のよう優秀な大学の学生は、ちゃんと人の話を聴きません（笑）。彼らは、この大学に入学できたのは、人の言葉に耳を傾けたからではなく、自分がしっかり話せたことが理由だと思っているのです。つまり、小学校から高校卒業までの十二年間で培ったプレゼン能力が報われたと思っているわけです。そこで、私は最初の授業で彼らに対して「あまり発言するな」と言います。

代わりに、人の話をちゃんと聴いているかどうかは、非常に厳しく見ますよと告げます。実のところ、特に傾聴しなくても議論はできるんですよね。適当に話を聞いておいて相手が話しやめたところで返事をする、という方法を我々は身につけています。

そこで学生には、禅で大切にされる「間」について説明します。一人の人が話し終わって、次の人が答える前に沈黙を置く。「間」をとることで、相手の話をちゃんと聴き、話の内容を尊重している、次は何を言おうと自分のことばかり考えているのではない、と示すことができます。

また、マインドフルネスを実践すると雑念が消え、禅における emptiness（空）を感じるようになる。たとえば、禅にはこんな逸話があります。ある禅師のもとに、教えを乞いたいと弟子が訪ねてきた。すると禅師は弟子の茶碗にお茶を注ぎ、茶碗から茶がどんどん溢れていっても注ぐのを止めない。弟子が「やめてください、もう茶碗には入りません」と言うと、禅師は「お前はこの茶碗のようなものだ。空にするまで茶碗には何も入らない」と教えます。

学生たちには、このような喩え話をいくつも使って「頭でっかちな知識で埋まっていると、人の話を素直に聞き入れることができない」と伝えます。「聴く」という漢字の成り立ちを教えるのもいいですね。「聴」には、「耳」以外に「目」も「心」も入っています。つまり、本当に聴くということは相手の目にも心にも注意を向けるということです。

――あなたは、漢字を独特な視点で見ていますね。

重松　私はアメリカで育ったので、大学に入るまで漢字を学びませんでした。ですから、私が漢字を見るときの視点は、日本人とはまったく異なっています。私は、漢字のなかに深い意味を見出そうとします。著書でも紹介した「忙」や「忘」は「心」を「亡くす」と書く。つまり、どちらにも「魂の喪失」を示す要素が含まれていると気付いたとき、強く胸を打たれました。

最近、とても気に入っているのは「優しい」の「優」という漢字です。英語のcompassion（思いやり）という単語は、ラテン語に語源があり、suffer with（共に苦しむ）という意味がある。漢字の「優」も二つの部分から成り立っています。右側の「憂」は「苦しむ」という意味ですね。左側は「人」を示します。私からみると「優」もcompassionも、「人が共に苦しむから、優しい気持ちが生まれる」と捉えられ、非常に興味深いと思っています。

希望や目的という感覚を得られる毎日の習慣

――より良き人生を送るため、日常的な実践としてはどういったものがあるのでしょう

か。

重松　次に述べる三つの繋がりを意識することです。

一つ目は「神秘」との繋がりです。アメリカ人に対してはGodやnatureという言葉を使うかもしれませんが、自分の力を超えた大きなパワーを感じさせるものと繋がるという意味です。自然のなかを訪れる、美しい音楽やアートを鑑賞する、聖書を読むといった方法でも経験できるでしょう。生命の神秘を感じることが重要です。

二つ目は、自分自身との深い繋がりです。瞑想、ウォーキング、ヨガなど、自分をケアすることにより意識を向けるのです。

三つ目は、自分以外の人との繋がりです。それには「自分は一人ではない」「どこかに所属している」という認識を得られる活動をすることです。所属する先は、家族の場合もあればコミュニティの場合もありますが、生きていくうえであなたを助けてくれるであろう場のことです。

この三つの繋がりを意識するため、すぐ実行に移せるような方法はいくつかありますが、なかでも昨日学生たちに教えたのは、毎朝の習慣をもつことです。

私の毎朝の習慣の一つは、ダライ・ラマの祈りを読むことです。これを読むことで、自分が「いま」一人の人間として生きており、役に立つことのできる人間だと実感することができます。私も含め多くの人は、朝から希望に満ちあふれて目を覚ますなんてことはありません。私など、なんで起きなきゃいけないんだ、なぜ自分は今日も生きているんだ、なんて暗い気持ちで起きることが多い。ですから、毎朝決まった習慣を行なうのは非常に役立つと思います。他にも、仏壇に向かってご先祖様との繋がりを感じるのもいい。すると、ご先祖様の労苦を自分が引き継ぐことこそ、人生の目的であると感じるかもしれません。あるいは、たんに外に出て太陽に向かって体を伸ばし、深呼吸する習慣をつくるのもいいでしょう。どんなことでもいいのです。

ただ、毎朝の習慣はその日の希望や目的という感覚を得られる種類のものをおすすめします。一日の終わりにも、似たような習慣を行なうといいですね。毎朝・毎晩の習慣をもつことは、人間にとってとても大切なことなのです。

エピローグ――人類は傲慢だったのか

私は世界がパンデミックに襲われる前は、対面インタビューを基本としてきた。そのために年に四、五カ月は海外で過ごすのを常としていた。しかし、パンデミックに突入して以来、海外に足を運んでいない。最後に渡航したのは二〇二〇年二月だ。ちょうどCOVID-19（新型コロナウイルス）がまだ正式にパンデミックと呼ばれていないときだった。

いまでもはっきり覚えているのは、シンガポールを訪れたイギリス人がスーパースプレッダー（感染拡大の感染源）呼ばわりされたニュースが、毎日のように報道されていたことだ。そのとき私はまさにそのイギリスにいた。本書に登場するダグラス・マレー氏にロンドンで対面インタビューした直後だった。

WHOのテドロス・アダノム・ゲブレイェスス事務局長が新型コロナウイルス感染症の流行を「パンデミックと見なせる」と公式に宣言したのは、同年三月十一日だった。ミネソタ大学感染症研究政策センター所長のマイケル・オスターホルム教授は、COVID-19の感染特徴に基づき、その七週間前の一月二十日に「この感染症はパンデミックを引き起こす」と明

スティーヴン・マーフィ重松氏にも、ZOOMでのインタビューとなった

言し、WHOにパンデミックを宣言するように要請したが、完全に無視されたという。

私は四月中旬から立教大学の企画講座で、毎週月曜日に講義することになっていたが、すべてオンライン講義になった。大学・学校の講義や企業の会議がオンラインになったことはパンデミックが生み出したニューノーマルの最も顕者なものであろう。私がいままで対面で行なっていたインタビューも、当然ながらすべてZOOM（かスカイプ）でのインタビューになった。

本書に出てくるターリ・シャーロット氏は、二〇一九年十月にボストンにおいて対面でインタビューしたが、シャーロット氏とマレー氏以外は、すべてオンラインでのインタビューである。この一年半で行なったZOOMインタビューはかなりの数に上るが、実を言うとすっかり慣れてしまった。

このパンデミックによって激変したことは多い。海外ではロックダウンで経済が強制的にマヒさせられ、多くの企業が倒産した。ロックダウンを経験していない日本でも、同じように多くの企業が倒産し、突然仕事を失った人も増えた。一年延期された東京五輪がほとんどの場所で無観客になったほどで、いまでもパンデミックは収束していない。それどころか、世界中で変異株が猛威を振るっている。

目には見えないウイルスに地球全体をここまで激変させる力があるのだから、背筋が凍る思いがするが、このパンデミックが我々人類から怖ろしいほど「自由」を奪ったことは間違いない。このような「ディストピア」が現出することを誰が想像したであろうか。多くの民主主義国家が全体主義国家のように振る舞い、ロックダウンを国民に課し、まるでSF映画に出てくるシーンであるかのように、世界中の大都会から人の姿が消えた。仕事を失い、孤独を強いられ、自殺する人も急増した。

パンデミックは慢心しきった人類の傲慢の鼻をへし折り、個人からも社会からも大切な何かを奪った。本書に登場する九人の「世界の知性」が提供してくれた視座は、人類に本能的に備わっているはずのレジリエンスを取り戻す嚆矢（こうし）になるのではないだろうか。

最後に、毎月インタビュー相手を選ぶのに苦労するが、快く応じてくれた九人の賢士に心からの感謝を捧げたいと思う。そして、同時にVoice編集部の担当編集者である中西史也氏と岩谷菜都美氏、書籍化にあたっては第一事業制作局の永田貴之氏、ＰＨＰ新書課の宮脇崇広氏、制作支援室の福田好典氏に尽力をいただいた。この場を借りてお礼を申し上げたい。

二〇二一年七月　東京にて

大野和基

初出一覧

アンデシュ・ハンセン／『Voice』2021年6月号
ロルフ・ドベリ／『Voice』2021年2月号
ジャック・アタリ／『Voice』2021年1月号
ネイサン・シュナイダー／『Voice』2020年12月号
ダニエル・コーエン／『Voice』2020年10月号
ダグラス・マレー／『Voice』2020年5月号
サミュエル・ウーリー／『Voice』2021年1月号
ターリ・シャーロット／『Voice』2020年1月号
スティーヴン・マーフィ重松／『Voice』2021年2月号

いずれも大幅に加筆して収録

[編者略歴]

大野和基[おおの・かずもと]

1955年、兵庫県生まれ。大阪府立北野高校、東京外国語大学英米学科卒業。79～97年渡米。コーネル大学で化学、ニューヨーク医科大学で基礎医学を学ぶ。その後、現地でジャーナリストとしての活動を開始、国際情勢の裏側、医療問題から経済まで幅広い分野の取材・執筆を行なう。97年に帰国後も取材のため、頻繁に渡航。アメリカの最新事情に精通している。訳・編著に『未来を読む』『未完の資本主義』『つながり過ぎた世界の先に』(以上、PHP新書)、著書に『英語の品格』(ロッシェル・カップ氏との共著、インターナショナル新書)など多数。

PHP INTERFACE
https://www.php.co.jp/

自由の奪還

全体主義、非科学の暴走を止められるか

（PHP新書 1271）

二〇二一年八月二十四日　第一版第一刷

著者――アンデシュ・ハンセン／ロルフ・ドベリ／ジャック・アタリ／ネイサン・シュナイダー／ダニエル・コーエン／ダグラス・マレー／サミュエル・ウーリー／ターリ・シャーロット／スティーヴン・マーフィ重松

インタビュー・編――大野和基

発行者――後藤淳一

発行所――株式会社PHP研究所

東京本部――〒135-8137 江東区豊洲5-6-52
第一制作部 ☎03-3520-9615（編集）
普及部 ☎03-3520-9630（販売）

京都本部――〒601-8411 京都市南区西九条北ノ内町11

組版――有限会社エヴリ・シンク

装幀者――芦澤泰偉＋児崎雅淑

印刷所
製本所――図書印刷株式会社

ISBN978-4-569-85037-5

PHP新書刊行にあたって

「繁栄を通じて平和と幸福を」(PEACE and HAPPINESS through PROSPERITY)の願いのもと、PHP研究所が創設されて今年で五十周年を迎えます。その歩みは、日本人が先の戦争を乗り越え、並々ならぬ努力を続けて、今日の繁栄を築き上げてきた軌跡に重なります。

しかし、平和で豊かな生活を手にした現在、多くの日本人は、自分が何のために生きているのか、どのように生きていきたいのかを、見失いつつあるように思われます。そして、その間にも、日本国内や世界のみならず地球規模での大きな変化が日々生起し、解決すべき問題となって私たちのもとに押し寄せてきます。

このような時代に人生の確かな価値を見出し、生きる喜びに満ちあふれた社会を実現するために、いま何が求められているのでしょうか。それは、先達が培ってきた知恵を紡ぎ直すこと、その上で自分たち一人一人がおかれた現実と進むべき未来について丹念に考えていくこと以外にはありません。

その営みは、単なる知識に終わらない深い思索へ、そしてよく生きるための哲学への旅でもあります。弊所が創設五十周年を迎えましたのを機に、PHP新書を創刊し、この新たな旅を読者と共に歩んでいきたいと思っています。多くの読者の共感と支援を心よりお願いいたします。

一九九六年十月

PHP研究所

PHP新書

[社会・教育]

117 社会的ジレンマ 山岸俊男
335 NPOという生き方 島田 恒
418 女性の品格 坂東眞理子
495 親の品格 坂東眞理子
504 生活保護vsワーキングプア 大山典宏
522 プロ法律家のクレーマー対応術 横山雅文
537 ネットいじめ 荻上チキ
546 本質を見抜く力――環境・食料・エネルギー 養老孟司／竹村公太郎
586 理系バカと文系バカ 竹内 薫[著]／嵯峨野功一[構成]
602 「勉強しろ」と言わずに子供を勉強させる法 小林公夫
618 世界一幸福な国デンマークの暮らし方 千葉忠夫
621 コミュニケーション力を引き出す 平田オリザ／蓮行
629 テレビは見てはいけない 苫米地英人
632 あの演説はなぜ人を動かしたのか 川上徹也
681 スウェーデンはなぜ強いのか 北岡孝義
692 女性の幸福[仕事編] 坂東眞理子
706 日本はスウェーデンになるべきか 高岡 望
720 格差と貧困のないデンマーク 千葉忠夫
741 本物の医師になれる人、なれない人 小林公夫
780 幸せな小国オランダの智慧 紺野 登
783 原発「危険神話」の崩壊 池田信夫
786 新聞・テレビはなぜ平気で「ウソ」をつくのか 上杉 隆
789 「勉強しろ」と言わずに子供を勉強させる言葉 小林公夫
792 「日本」を捨てよ 苫米地英人
819 日本のリアル 養老孟司
823 となりの闇社会 一橋文哉
828 ハッカーの手口 岡嶋裕史
829 頼れない国でどう生きようか 加藤嘉一／古市憲寿
832 スポーツの世界は学歴社会 橘木俊詔／齋藤隆志
847 子どもの問題 いかに解決するか 岡田尊司／魚住絹代
854 女子校力 杉浦由美子
857 大津中2いじめ自殺 共同通信大阪社会部
858 中学受験に失敗しない 高濱正伸
869 若者の取扱説明書 齋藤 孝
870 しなやかな仕事術 林 文子
888 日本人はいつ日本が好きになったのか 竹田恒泰
897 生活保護vs子どもの貧困 大山典宏

987 量子コンピューターが本当にすごい
竹内 薫／丸山篤史［構成］
994 文系の壁 養老孟司
997 無電柱革命 小池百合子／松原隆一郎
1022 社会を変えたい人のためのソーシャルビジネス入門 駒崎弘樹
1025 人類と地球の大問題 丹羽宇一郎
1032 なぜ疑似科学が社会を動かすのか 石川幹人
1040 世界のエリートなら誰でも知っているお洒落の本質 干場義雅
1059 広島大学は世界トップ100に入れるのか 山下柚実
1073 「やさしさ」過剰社会 榎本博明
1079 超ソロ社会 荒川和久
1087 羽田空港のひみつ 秋本俊二
1093 震災が起きた後で死なないために 野口 健
1106 御社の働き方改革、ここが間違ってます！ 白河桃子
1125 『週刊文春』と『週刊新潮』闘うメディアの全内幕
花田紀凱／門田隆将
1128 男性という孤独な存在 橘木俊詔
1140 「情の力」で勝つ日本 日下公人
1144 未来を読む ジャレド・ダイアモンドほか［著］
大野和基［インタビュー・編］
1146 「都市の正義」が地方を壊す 山下祐介
1149 世界の路地裏を歩いて見つけた「憧れのニッポン」
早坂 隆
1150 いじめを生む教室 荻上チキ
1151 オウム真理教事件とは何だったのか？ 一橋文哉
1154 孤独の達人 諸富祥彦
1161 貧困を救えない国 日本 阿部彩／鈴木大介
1164 ユーチューバーが消滅する未来 岡田斗司夫
1183 本当に頭のいい子を育てる 世界標準の勉強法 茂木健一郎
1190 なぜ共働きも専業もしんどいのか 中野円佳
1201 未完の資本主義
ポール・クルーグマンほか［著］／大野和基［インタビュー・編］
1202 トイレは世界を救う
ジャック・シム［著］／近藤奈香［訳］
1219 本屋を守れ 藤原正彦
1223 教師崩壊 妹尾昌俊
1229 大分断 エマニュエル・トッド［著］／大野 舞［訳］
1231 未来を見る力 河合雅司
1233 男性の育休 小室淑恵／天野 妙
1234 AIの壁 養老孟司
1239 社会保障と財政の危機 鈴木 亘
1242 食料危機 井出留美
1247 日本の盲点 開沼 博

1249 働かないおじさんが御社をダメにする　白河桃子
1252 データ立国論　宮田裕章
1262 教師と学校の失敗学　妹尾昌俊
1263 同調圧力の正体　太田 肇
1264 子どもの発達格差　森口佑介

［経済・経営］

187 働くひとのためのキャリア・デザイン　金井壽宏
379 なぜトヨタは人を育てるのがうまいのか　若松義人
450 トヨタの上司は現場で何を伝えているのか　若松義人
543 ハイエク 知識社会の自由主義　池田信夫
587 微分・積分を知らずに経営を語るな　内山 力
594 新しい資本主義　原 丈人
620 自分らしいキャリアのつくり方　高橋俊介
752 日本企業にいま大切なこと　野中郁次郎／遠藤 功
852 ドラッカーとオーケストラの組織論　山岸淳子
892 知の最先端　クレイトン・クリステンセンほか［著］／大野和基［インタビュー・編］
901 ホワイト企業　高橋俊介
932 なぜローカル経済から日本は甦るのか　冨山和彦
958 ケインズの逆襲、ハイエクの慧眼　松尾 匡
985 新しいグローバルビジネスの教科書　山田英二
998 超インフラ論　藤井 聡
1023 大変化――経済学が教える二〇二〇年の日本と世界　竹中平蔵
1027 戦後経済史は嘘ばかり　髙橋洋一
1029 ハーバードでいちばん人気の国・日本　佐藤智恵
1033 自由のジレンマを解く　松尾 匡
1080 クラッシャー上司　松崎一葉
1084 セブン-イレブン1号店　繁盛する商い　山本憲司
1088 「年金問題」は嘘ばかり　髙橋洋一
1114 クルマを捨ててこそ地方は甦る　藤井 聡
1136 残念な職場　河合 薫
1162 なんで、その価格で売れちゃうの？　永井孝尚
1166 人生に奇跡を起こす営業のやり方　田口佳史／田村 潤
1172 お金の流れで読む　日本と世界の未来　ジム・ロジャーズ［著］／大野和基［訳］
1174 「消費増税」は嘘ばかり　髙橋洋一
1175 平成の教訓　竹中平蔵
1187 なぜデフレを放置してはいけないか　岩田規久男
1193 労働者の味方をやめた世界の左派政党　吉松 崇
1198 中国金融の実力と日本の戦略　柴田 聡
1203 売ってはいけない　永井孝尚
1204 ミルトン・フリードマンの日本経済論　柿埜真吾
1220 交渉力　橋下 徹

1230 変質する世界 Voice編集部［編］
1235 決算書は3項目だけ読めばいい 大村大次郎
1258 脱GHQ史観の経済学 田中秀臣

［政治・外交］

893 語られざる中国の結末 宮家邦彦
898 なぜ中国から離れると日本はうまくいくのか 石 平
920 テレビが伝えない憲法の話 木村草太
931 中国の大問題 丹羽宇一郎
954 哀しき半島国家 韓国の結末 宮家邦彦
967 新・台湾の主張 李 登輝
979 なぜ中国は覇権の妄想をやめられないのか 石 平
988 従属国家論 佐伯啓思
1000 アメリカの戦争責任 竹田恒泰
1024 ヨーロッパから民主主義が消える 川口マーン惠美
1060 イギリス解体、EU崩落、ロシア台頭 岡部 伸
1076 日本人として知っておきたい「世界激変」の行方 中西輝政
1083 なぜローマ法王は世界を動かせるのか 徳安 茂
1122 強硬外交を反省する中国 宮本雄二
1124 チベット 自由への闘い 櫻井よしこ
1135 リベラルの毒に侵された日米の憂鬱 ケント・ギルバート
1137 「官僚とマスコミ」は嘘ばかり 髙橋洋一
1153 日本転覆テロの怖すぎる手口 兵頭二十八
1155 中国人民解放軍 茅原郁生
1157 二〇二五年、日中企業格差 近藤大介
1163 AI監視社会・中国の恐怖 宮崎正弘
1169 韓国壊乱 櫻井よしこ／洪 熒
1180 プーチン幻想 グレンコ・アンドリー
1188 シミュレーション日本降伏 北村 淳
1189 ウイグル人に何が起きているのか 福島香織
1196 イギリスの失敗 岡部 伸
1208 アメリカ 情報・文化支配の終焉 石澤靖治
1212 メディアが絶対に知らない2020年の米国と日本 渡瀬裕哉
1225 ルポ・外国人ぎらい 宮下洋一
1226 「NHKと新聞」は嘘ばかり 髙橋洋一
1231 米中時代の終焉 日高義樹
1236 韓国問題の新常識 Voice編集部［編］
1237 日本の新時代ビジョン 鹿島平和研究所・PHP総研［編］
1241 ウッドロー・ウィルソン 倉山 満
1248 劣化する民主主義 宮家邦彦
1250 賢慮（けんりょ）の世界史 佐藤 優／岡部 伸
1254 メルケル 仮面の裏側 川口マーン惠美
1260 中国 vs. 世界 安田峰俊

1261 NATOの教訓 グレンコ・アンドリー

［思想・哲学］

032 〈対話〉のない社会 中島義道
058 悲鳴をあげる身体 鷲田清一
086 脳死・クローン・遺伝子治療 加藤尚武
204 はじめての哲学史講義 鷲田小彌太
468 「人間嫌い」のルール 中島義道
492 自由をいかに守るか ハイエクを読み直す 渡部昇一
856 現代語訳 西国立志編 サミュエル・スマイルズ［著］／中村正直［訳］／金谷俊一郎［現代語訳］
1117 和辻哲郎と昭和の悲劇 小堀桂一郎
1159 靖國の精神史 小堀桂一郎
1215 世界史の針が巻き戻るとき マルクス・ガブリエル
1251 つながり過ぎた世界の先に マルクス・ガブリエル［著］／大野和基［インタビュー・編］／髙田亜樹［訳］

［歴史］

061 なぜ国家は衰亡するのか 中西輝政
286 歴史学ってなんだ？ 小田中直樹
505 旧皇族が語る天皇の日本史 竹田恒泰
663 日本人として知っておきたい近代史［明治篇］ 中西輝政
755 日本人はなぜ日本のことを知らないのか 竹田恒泰
761 真田三代 平山 優
784 日本古代史を科学する 中田 力
903 アジアを救った近代日本史講義 渡辺利夫
922 木材・石炭・シェールガス 石井 彰
968 古代史の謎は「海路」で解ける 長野正孝
1012 古代史の謎は「鉄」で解ける 長野正孝
1057 なぜ会津は希代の雄藩になったか 中村彰彦
1064 真田信之 父の知略に勝った決断力 平山 優
1085 新渡戸稲造はなぜ『武士道』を書いたのか 草原克豪
1086 日本にしかない「商いの心」の謎を解く 呉 善花
1096 名刀に挑む 松田次泰
1104 一九四五 占守島の真実 相原秀起
1107 ついに「愛国心」のタブーから解き放たれる日本人 ケント・ギルバート
1108 コミンテルンの謀略と日本の敗戦 江崎道朗
1111 北条氏康 関東に王道楽土を築いた男 伊東 潤／板嶋常明
1115 古代の技術を知れば、『日本書紀』の謎が解ける 長野正孝
1116 国際法で読み解く戦後史の真実 倉山 満
1118 歴史の勉強法 山本博文

1121 明治維新で変わらなかった日本の核心　猪瀬直樹／磯田道史
1123 天皇は本当にただの象徴に堕ちたのか　竹田恒泰
1129 物流は世界史をどう変えたのか　玉木俊明
1130 なぜ日本だけが中国の呪縛から逃れられたのか　石 平
1138 吉原はスゴイ　堀口茉純
1141 福沢諭吉　しなやかな日本精神　小浜逸郎
1142 卑弥呼以前の倭国五〇〇年　大平 裕
1152 日本占領と「敗戦革命」の危機　江崎道朗
1160 明治天皇の世界史　倉山 満
1167 吉田松陰『孫子評註』を読む　森田吉彦
1168 特攻　知られざる内幕　戸髙一成［編］
1176 「縄文」の新常識を知れば 日本の謎が解ける　関 裕二
1177 「親日派」朝鮮人　消された歴史　拳骨拓史
1178 歌舞伎はスゴイ　堀口茉純
1181 日本の民主主義はなぜ世界一長く続いているのか　竹田恒泰
1185 戦略で読み解く日本合戦史　海上知明
1192 中国をつくった12人の悪党たち　石 平
1194 太平洋戦争の新常識　歴史街道編集部［編］
1197 朝鮮戦争と日本・台湾「侵略」工作　江崎道朗
1199 関ヶ原合戦は「作り話」だったのか　渡邊大門
1206 ウェストファリア体制　倉山 満
1207 本当の武士道とは何か　菅野覚明
1209 満洲事変　宮田昌明
1210 日本の心をつくった12人　石 平
1213 岩崎小彌太　武田晴人
1217 縄文文明と中国文明　関 裕二
1218 戦国時代を読み解く新視点　歴史街道編集部［編］
1228 太平洋戦争の名将たち　歴史街道編集部［編］
1243 源氏将軍断絶　坂井孝一
1255 海洋の古代日本史　関 裕二

［**宗教**］

123 お葬式をどうするか　ひろさちや
955 どうせ死ぬのになぜ生きるのか　名越康文

［**自然・生命**］

1016 西日本大震災に備えよ　鎌田浩毅
1257 京大　おどろきのウイルス学講義　宮沢孝幸